Luther und Melanchthon schätzten die Bedeutung der Fabel für Kinder, aber auch für Erwachsene, besonders hoch ein: Sie fördere die Charaktererziehung, schärfe das Urteilsvermögen und diene dem Verständnis der Heiligen Schrift. So ist es nicht verwunderlich, daß sich in Luthers Schriften und Reden zahlreiche Fabeln und parabolische Aussagen finden sowie viele Sprichwörter, in denen er mit seiner bildhaften Sprache die darin enthaltene Lebenserfahrung weiterzugeben beabsichtigt. Zudem stellte er eine Sammlung von fast 500 Sprichwörtern zusammen und brachte ein Fabelbuch heraus. Luthers Fabeln erschienen erstmals 1557 im fünften Band der Jenaer Luther-Ausgabe. Seine Fabeln und Sprichwörter sind gedacht für Kinder und »jedermann wes Standes er auch ist«, geschrieben in einer verständlichen und anschaulichen Sprache. Er nennt aber auch als Leser die Fürsten und hohen Herrn – die politische Bedeutung der Fabel hatte er schon früh erkannt und hervorgehoben.

Die vorliegende Auswahl besteht aus der Äsop-Bearbeitung mit allen Druck- und handschriftlichen Fassungen, Luthers Übersetzung alttestamentlicher Fabeln, Luthers eigenen Fabeln aus den Schriften und Tischreden und der vollständigen Sprichwortsammlung. Eine Einleitung, ein Anhang über Luthers Theorie und Urteile über die Fabel, ein ausführlicher Kommentar mit Quellenverzeichnis und Literaturhinweisen machen die Ausgabe auch zu einem wichtigen Nachschlagewerk.

Reinhard Dithmar

Martin Luthers Fabeln
und Sprichwörter

# Martin Luthers Fabeln und Sprichwörter

*Mit zahlreichen Abbildungen
und Holzschnitten aus der
Werkstatt von Lukas Cranach*

Mit Einleitung und Kommentar
herausgegeben
von Reinhard Dithmar

Wissenschaftliche Buchgesellschaft
Darmstadt

für anneli zum 6. 11. 88

Die erste Auflage ist 1989 beim Insel Verlag als
insel taschenbuch 1094 erschienen.

Die Deutsche Bibliothek – CIP-Einheitsaufnahme

**Luther, Martin:**
[Fabeln und Sprichwörter]
Martin Luthers Fabeln und Sprichwörter / mit Einl. und
Kommentar hrsg. von Reinhard Dithmar. – 2., korr. Aufl. –
Darmstadt: Wiss. Buchges., 1995
ISBN 3-534-12667-X
NE: Dithmar, Reinhard [Hrsg.]; Luther, Martin: [Sammlung]

Bestellnummer 12667-X

2., korrigierte Auflage
© 1995 by Wissenschaftliche Buchgesellschaft, Darmstadt
Gedruckt auf säurefreiem und alterungsbeständigem Werkdruckpapier
Gesamtherstellung: Wissenschaftliche Buchgesellschaft, Darmstadt
Printed in Germany

ISBN 3-534-12667-X

# Inhalt

### Etliche Fabeln aus Esopo von D. M. L. verdeudscht (1530)

### Luthers Vorlage

### Luthers Übersetzung alttestamentlicher Fabeln

## Luthers Fabeln

## Aus Luthers Tischreden

*Luthers Theorie und Urteile über die Fabel*

*Anhang*

# Vorwort

Die Editionen der Fabeln Luthers von Ernst Thiele (1888,[2]1911) und Willi Steinberg (1961) sind schon lange vergriffen und inzwischen auch veraltet und wissenschaftlich überholt. Eine Edition, die Luthers Fabeln und Sprichwörter in einem Band enthält, hat es bisher noch nicht gegeben, obwohl die vergleichende Lektüre ebenso spannend wie für das richtige Verständnis von Luthers Äsop-Bearbeitung wesentlich ist. Die Literaturwissenschaftler haben ihr Augenmerk zu eng auf diesen Teil, die in wenigen Wochen entstandenen dreizehn Texte gerichtet und das Fragment zur Grundlage für pauschale Urteile gemacht, die verfehlt sind angesichts der Tatsache, daß sich Luther zeitlebens mit der Fabel und dem Fabelfragment beschäftigt hat. Die Theologen haben diesen Bereich des Reformators ausgespart, obwohl Luther in seinen Schriften und Reden ständig Fabelmotive erwähnt und auch seine Predigten durch Fabeln veranschaulicht.

Für die vorliegende Edition habe ich das Gesamtwerk Luthers auf Fabeln und fabelartige Texte ebenso wie auf Luthers Urteil über die äsopische Fabel durchgesehen und die meines Ermessens wichtigsten ausgewählt.

Martin Luther schreibt und spricht in der zu seiner Zeit üblichen deutsch-lateinischen Mischung, die dem modernen Leser die Lektüre erschwert. Auf Wunsch des Verlags habe ich deshalb die lateinischen Textpassagen übersetzt und als Anmerkung notiert.

Die Holzschnitte zu einzelnen Fabeln und zur Vita Esopi aus dem Ulmer Aesop und die Illustrationen aus der Werkstatt von Lukas Cranach wurden so ausgewählt, daß sie nicht nur dem Schmuck dieses Bandes, sondern auch dem Verständnis der Texte dienen.

# Einleitung

## I.

»Nicht nur Lutherus und sein Sohn Johannes sind Fabul-Hansen gewesen / sondern auch Philippus Melanchthon, der Hochgelahrte Mann / welchen auch seine ärgsten Freinde in und ausser Teutschland / seiner Philosophischen Wissenschaft halben geliebet und gelobet haben.« (Schupp 1663, S. 846)

So konnte Anton Menon Schupp ein Jahrhundert später schreiben, um seinen Vater gegen die evangelischen Verächter der Fabel zu verteidigen.

Der praeceptor Germaniae schätzt die Bedeutung der Fabel für den Unterricht so hoch ein wie Luther und drängt ihn zur weiteren Arbeit auf diesem Gebiet. In seiner Schrift ›De utilitate fabularum‹ (1526) und später in der Vorrede zu der von Joachim Camerarius 1550 herausgegebenen Sammlung »Fabellae Aesopicae quaedam notiores et in scholis usitatae« räumt er der Fabel eine besondere Stelle ein. In den Schulordnungen von Eisleben und Herzfeld nennt Melanchthon drei Gründe für die Behandlung der Fabel im Unterricht. Sie fördert die Charaktererziehung, schärft das Urteilsvermögen des Schülers und dient dem Verständnis der Heiligen Schrift.

Martin Luther lernte den Äsop bereits während seiner Schulzeit kennen, als er nach den Disticha moralia des Cato die äsopischen Fabeln auswendig lernen mußte, und schätzt ihn zeitlebens. Daß sich die Schriften des Cato und Äsop in den Schulen erhalten haben, hat Luther später in seiner Aesopi commendatio als Gottes Vorsehung bezeichnet und diese Schriften nicht nur ihres ethischen Gehaltes wegen als die besten Bücher nach der Bibel gepriesen.

Die Reformation übernimmt von der spätmittelalterlichen

Schule die Organisation der Trivialschule in ihren Grundzügen. Im »Unterricht der Visitatoren« (1528), von Melanchthon verfaßt und von Luther mit einer Vorrede versehen, finden wir ebenfalls eine Aufteilung der Schüler in drei Leistungsgruppen. Dem zweiten der drei »hauffen«, der mittleren Gruppe mit Schülern, die bereits lesen und schreiben können und die ars minor des Donatus, die im Mittelalter viel benutzte Elementargrammatik gelesen haben, »sol der schulmeister (...) auslegen die fabulas Esopi erstlich«. Am nächsten Tag »sollen die kinder den Esopum widder exponiren. Dabey sol der Preceptor etliche nomina und verba decliniren, nach gelegenheit der kinder, viel odder wenig, leichte odder schwere, und fragen auch die kinder, regel und ursach solcher declination.« (WA 26,237 f.)

## II.

Im April 1530 reist Kurfürst Johann von Sachsen nach Augsburg. Auf den wichtigsten Mann in seinem namhaften Gefolge muß er bei dem Reichstag verzichten, da Luther wegen der über ihn verhängten Reichsacht die Landesgrenze nicht überschreiten durfte. Der Kurfürst will ihn möglichst nahe haben; deshalb setzt er ihn an seiner Landesgrenze auf der Feste Coburg ab.

Am ersten Tag nach der nächtlichen Ankunft schreibt Luther an Melanchthon: »Pervenimus tandem in nostrum Sinai, charissime Philippe, sed faciemus Sion ex ista Sinai, aedificabimusque ibi tria tabernacula, Psalterio unum, Prophetis unum, et Aesopo unum. Sed hoc temporale.« (WA Br 5,285)

(Endlich sind wir auf unserem Sinai angekommen, lieber Philippus, aber wir werden einen Zion aus diesem Sinai machen, und wir werden dort drei Hütten bauen, eine für den Psalter, eine für die Propheten und eine für Äsop. Aber diese ist zeitlich.)

1 *Lukas Cranach d. Ä., Luther und Melanchthon. 1532*

Unter Anspielung auf Matthäus 17,4 (Petrus will drei Hütten bauen, eine für Jesus, eine für Mose und eine für Elia) entwickelt Luther in diesem Brief vom 24. April sein Arbeitsprogramm. Neben der Prophetenübersetzung plant er eine Auslegung des ganzen Psalters. Über den dritten Programmpunkt schreibt er am 8. Mai an Wenzelaus Link: »Aesopi quoque fabulas pro puerili et rudi vulgo proposui adornare, ut utilitatem aliquam Germanis afferant.« (WA 5,309)

(Ich habe mir vorgenommen, auch die Fabeln des Äsop für das jugendliche und ungebildete Volk zu bearbeiten, damit sie den Deutschen zu einigem Nutzen dienen.)

Martin Luther blieb vom 23. April bis zum 4. Oktober 1530 auf der Coburg. Am Äsop gearbeitet hat er jedoch vermutlich nur die ersten Wochen. Letztmalig erwähnt er ihn in einem Brief an Melanchthon vom 12. Mai (WA Br 5,316), in dem er zugleich seinen schlechten Gesundheitszustand beklagt.

Es war keine Freizeitbeschäftigung zur Entspannung von den religiösen und politischen Kämpfen seiner Zeit, wie man immer noch lesen kann und wie es bereits der erbauliche Lutherbiograf Mathesius seiner Gemeinde darstellte.

Denn als vnser Doctor nun vil jar / wie jr gehört / wider die Münch vnnd Schwermer hefftig gestritten / vnd sich mit predigen vnd dolmetschung inn der heyligen Bibel abgearbeyt / vnnd sehr ein schwaches heuptlein bekam / wie er auß Coburg schreibet / da er sich diser arbeyt vnterfienge / will er sich auch / wie grosse leut pflegen / ein wenig erquicken vnd erlustern / Drumb weyl er mercket / das der heylig Geyst inn seiner Bibel auch vernünfftige vnd weyse mehrlein schreiben lesset / vnnd die alten gerne solche verdeckte vnd vermentelte warheyt vnd weyßheit mit Thierleins heutlein vnnd sprüchen vberzogen / vnnd weyse leut ein eygen fabel buch / mit grosser vernunfft zusammen gebracht / welches nun durch grobe vnd vnuerstendige leute / mit vngeschickten vnd vnzüchtigen reden vnd mehrlein vermenget vnd besudelt were / Nimmet er zu Coburg gelegenheyt / nach essens den alten Deutschen Esopum für sich / vnd reiniget vnd schmücket jn mit guten vnd derben Deutschen worten / vnnd schönen außlegung oder sitlichen lehren / vnd machet 16. schöner Fabel / die steck voller weißheyt / guter lehr / vnnd höflicher vermanung sein / vnnd wunder schöne bilder vnnd contrafecturn haben / *de casibus mundi*, wie es inn der Welt / inn Regimenten vnd Haußwesen / auff erden pfleget zuzugehen. (S. 138 f.)

Luther hatte – wie die Handschriften und ihre Überarbeitungen zeigen – erhebliche Mühe beim Formulieren, er geriet bereits bei der ersten Fabel in einen theologischen Konflikt und versuchte bis zur siebten Fabel eine ethische Systematik, die er schließlich wie die Fortsetzung der Reinschrift aufgab.

## III.

Vorlage für Luthers Fabelbuch, das nach Ansicht von Ernst Thiele mit seinen bekanntesten Werken in eine Reihe zu stellen ist, war nicht eine der griechischen oder lateinischen Sammlungen seiner Zeit, sondern die deutsche Übersetzung von Heinrich Steinhöwel. Das Werk des Ulmer Arztes wurde von Martin Luther, der es für eine Gemeinschaftsarbeit hielt und den Verfasser nicht kannte, als grundlegend gepriesen und zugleich seiner vermeintlichen Unzüchtigkeiten und zotigen Texte wegen scharf kritisiert. Ausrotten möchte Luther diesen ›Deudschen schendlichen Esopum‹ mit Texten, die von Säuen geschrieben und für das Wirtshaus und Frauenhaus geeignet seien.

Die Empfindlichkeit des Reformators gegenüber der Derbheit der ursprünglichen Fabel, wie sie Steinhöwel überliefert hat, ist erstaunlich für den, der Luthers Schriften und Tischreden in ihrer bisweilen sehr derben und bildlich-drastischen Sprache kennt, zumal der Humanist Steinhöwel betont, daß er auch im Anhang, bei den Texten von Alfonsus und Poggio, auf die sich vermutlich Luthers emotionale Kritik richtet, ausgewählt habe. Sicher denkt Luther bei seiner Kritik aber auch an einige Passagen der Vita Esopi, die Steinhöwel seinem Werk vorangestellt hat. Denn er will seinen eigenen, den gereinigten Esop durch eine Vita ergänzen. »Denn wir vleis gethan haben eitel feine, reine, nützliche Fabeln in ein Buch zubringen, dazu die Legend Esopi« (WA 50,454) – ein Plan, der hier als bereits realisiert erscheint, aber ebenfalls nicht verwirklicht wurde.

Martin Luther hat die äsopischen Fabeln nicht »*verdeudscht*«, wie es in der vom Herausgeber Georg Rörer formulierten Überschrift steht, sondern die deutsche Übersetzung Steinhöwels neu bearbeitet. Wann und in welcher Gestalt Luther den Urtext kennenlernte, ob er den griechischen Äsop kannte oder die Fabeln in der lateinischen Fassung (des

Romulus u. a.) kennenlernte, die Steinhöwel benutzte, war bisher ebenso umstritten wie die Frage, inwieweit Luther den lateinischen Text bei seiner Bearbeitung berücksichtigte, ja ob er ihm als Vorlage überhaupt zur Verfügung stand (vgl. WA 50,433 und 437, dagegen Schirokauer 1947, S. 74 ff.).

Die vergleichende Textanalyse erweist, daß Luther bei seiner Bearbeitung nicht nur den lateinischen Text vor sich hatte, sondern daß er bei einzelnen Ausdrücken von Steinhöwels Übersetzung abweichend auch auf ihn zurückgriff (vgl. die Kommentare zu den Fabeln von Wolf und Lamm und von Frosch und Maus S. 199 ff. und S. 201-204).

Luthers Fabeln erschienen erstmalig 1557 im fünften Band der *Jenaer Lutherausgabe* unter dem Titel
Etliche Fabeln aus Esopo / von D.M.L. verdeudscht / sampt einer schönen Vorrede / von rechtem Nutz und Brauch desselben Buchs / jederman wes Standes er auch ist / lustig und dienlich zu lesen. Anno M.D.XXX.
und ein Jahr später, ebenfalls gemeinsam mit der Vorrede, im neunten Band der *Wittenberger Lutherausgabe*, für den Philipp Melanchthon im Auftrag des Herausgebers Georg Rörer ein Vorwort, vom 16. August 1557 datiert, schrieb.

330 Jahre waren Luthers äsopische Fabeln nur in der von Georg Rörer herausgegebenen Druckfassung bekannt. Erst 1887 entdeckte Richard Reitzenstein Luthers Manuskript in der Vatikanischen Bibliothek. Es enthält (1) die erste Niederschrift aller 13 Fabeln Luthers mit Korrekturen und Nachträgen und die Fabel von Wolf und Lamm in einer zweiten, überarbeiteten und ohne Überschrift eingefügten Fassung und (2) Luthers Reinschrift, die mit der siebten Fabel endet.

Die von Luther zwischen die Fabeln Von Hund und Hündin und Von Esel und Löwe eingeschobene Anekdote von D. Mogenhofer hat Georg Rörer nicht in die Druckfassung

aufgenommen, wohl weil sie ihm nicht in diesen Zusammenhang zu passen schien. Der von Martin Luther öfter erwähnte
Dr. Mogenhofer (vgl. u.a. WA 49, 342) war Kanzler von
Kurfürst Friedrich dem Weisen und starb 1510 in Wittenberg. Die Anekdote lautet (WA 50,446f.):

*Von D Mogenhofer*

Es begegenet ⌈eiñ mal⌉ ein schiñder dem grossen doctor N
Mogenhofer, grusset yhn vnd sprach, Gott ehre ⌈das⌉ hand
werck, lieber freund, Der Doctor sprach wie bistŭ meines odder ⌈ich⌉ deines handwercks, Der Schiñder sprach, Yhr seid
ein Jurist, vnd ich ein schinder So schinde ⌈ich⌉ todte hünde,
⌈vnd⌉ yhr schindet lebendige leŭte
    Grobe ⌈vnuernunfftige⌉ leute sol man verachten vnd yhn
nicht antworten

Luthers Handschrift besteht aus 10 Blättern, die der Herausgeber Rörer durchnumeriert hat. In diese Edition übernommen wurde ergänzend zum vollständigen Nachdruck ein wesentlicher Ausschnitt als *Faksimile*, für dessen Reproduktion
ich der Fotoabteilung der Universitätsbibliothek der FU Berlin zu danken habe. Den ersten sechs Seiten mit den sieben
Fabeln von Luthers Reinschrift (Blatt 7a / 7b / 8a / 8b / 9a / 9b)
folgen die weiteren Fabeln in der Manuskriptfassung (4b =
Dieb / 5a = Kranich und Wolf / 5b = Hund und Hündin / 6a
= Mogenhofer; Esel und Löwe / 6b = Stadtmaus und Feldmaus / 3b = Fuchs und Rabe). Die angegebenen Blattnum-
mern zeigen, daß Luther die Fabel von Fuchs und Rabe entgegen Steinhöwels Reihenfolge bereits als achten Text bearbei-
tete. Auf Blatt 4a steht die Zweitfassung der Fabel von Wolf
und Lamm. Auf diesen Fotografien erkennt man nicht, daß
Luther mit verschiedener Tinte und Feder, also nicht in einem
Zug geschrieben hat und daß er auch mit roter Tinte schrieb,
die er sonst für Korrekturen benutzte.

## IV.

Martin Luther hat sich selbst oft als einen *Narren* bezeichnet, beispielsweise unter Bezug auf 1. Korinther 3,18: »wer do wil weysz sein, der musz ein nar werden« (WA 6,404). Zu Beginn seiner Schrift »An den Christlichen Adel deutscher Nation« (1520) liest man: »Auch, dieweyl ich nit allein ein narr, sondern auch ein geschworner Doctor der heyligenn schrifft, byn ich fro, das sich mir die gelegenheyt gibt, meynem eyd, eben in der selben narn weysze, gnug zuthunn.« (WA 6,405) In dieser reformatorischen Kampfschrift will er »das narn spiel hynausz singen unnd sagen, szovil mein vorstand vormag« (WA 6,427). Er will zum »hoffnar« (WA 6,404) gegen Papst und Konzil werden; »gelyngt mir nit, szo hab ich doch ein vorteil, darff mir niemant eine kappenn kauffenn, noch den kamp bescheren.« (WA 6,404)

In Luthers Fabeltheorie hat die Narrenkappe eine pädagogische und eine politische Spitze, zielt einerseits auf die Erziehung der Jugend zu Kunst und Weisheit, andererseits auf die Obrigkeit.

In seinen Spekulationen über den legendären Ahnherrn der Gattung bezweifelt Luther, daß Äsop eine historische Gestalt ist, hält ihn vielmehr für eine Erfindung, um die von zahlreichen Gelehrten (wie Hesiod u. a.) nach und nach geschriebenen und dann gesammelten Fabeln bei den Kindern durch die Larve Äsop, den »Fastnachtputz« zu größerer Wirkung zu bringen.

Luther hat nicht erst in seiner Auslegung des 101. Psalms, sondern bereits fünf Jahre vorher, eben in der Vorrede zu seinem Fabelbuch, die politische Bedeutung der Fabel erkannt und hervorgehoben. Unvermittelt schärfer wird er in dieser Vorrede, sobald er nicht mehr die Jugend und das Gesinde, sondern die »grossen Fürsten und Herrn« als Adressaten benennt. Da sie die Wahrheit nicht hören wollen, selbst wenn sie ihnen von Weisen gesagt wird, muß man sie unversehens zur Wahrheit führen (»betriegen zur Warheit«), indem man sie ihnen von Narren sagen läßt. Da jedermann die Wahrheit haßt, sobald sie ihn selber betrifft, gab man ihr einen täuschenden Anstrich (»Lügenfarbe«) und schrieb Fabeln, damit durch »Bestien mund« gesagt werde, was Menschen nicht auszusprechen wagen.

Die politische Spitze von Luthers Narrenkappe wurde bisher weitgehend übersehen, obwohl sie selbst im Vorwort dieses vorwiegend für die Jugend bestimmten Fabelbuches schärfere Konturen gewinnt und engagierter dargestellt wird als die pädagogische. Hier führt die Fabel nicht mit Lust und Liebe zu Kunst und Weisheit, sondern treibt den Schweiß auf die Stirn. Hier sagt das Fabeltier dem menschlichen Raubtier, was ihm »kein Prediger, Freund noch Feind« zu sagen wagt. Hier ist der fiktive Äsop nicht mehr »Fastnachtputz«, sondern ein weiser Narr, der wegen und trotz seiner Fabeln vom Felsen gestürzt wurde.

## V.

Das Werk von Martin Luther enthält neben der Äsop-Bearbeitung zahlreiche Fabeln, fabelartige Texte und parabolische Passagen und besonders viele Sprichwörter. Luther beherrschte die bildhafte Schreib- und Redeweise wie kein Zweiter und schätzte die Fabeln und Sprichwörter wegen der in ihnen enthaltenen Lebenserfahrung. Deshalb interessierte er sich so engagiert für den »Deudschen Esopum«, wie er Steinhöwels Sammlung und Übersetzung antiker Fabeln mit Recht nannte, und legte sich eine Sprichwörtersammlung an. Sie entstand vermutlich kurz nach der Äsop-Bearbeitung, jedenfalls auch 1530, mit einer ähnlichen Intention und blieb ebenfalls fragmentarisch. Sie wurde nicht nur, aber auch im Interesse der Jugend erstellt. Luther bemühte sich um eine »gereinigte« Auswahl und griff die Herausgeber zeitgenössischer Sprichwortsammlungen ihrer vermeintlichen Unzüchtigkeiten wegen ebenso an wie Heinrich Steinhöwel. Als einen »Grickel« bezeichnete er den berühmten Johann Agricola und verlangte, daß man auf wertlose und unbrauchbare Sprichwörter verzichte und auch auf solche, die nur zum Lachen reizen.

Es mag dahingestellt bleiben, ob diese Sammlung von fast fünfhundert Sprichwörtern für Luther nur ein Mittel zum Zweck war und nicht zur Veröffentlichung bestimmt, was Ernst Thiele (1900, S. XVIII und WA 51,638) zunächst vermutete und später wieder in Frage stellte. Jedenfalls findet man zahlreiche dieser Sprichwörter in den von Luther an die äsopische Fabel gefügten Epimythien wieder.

»Sed hoc temporale« hatte Luther über die äsopischen Fabeln geschrieben. Sie gehören in das weltliche Reich, in dem Gewalt über das Recht siegt und Vertrauen gefährliche Folgen hat, Freundlichkeit mit Undank belohnt und dem Bittenden nicht gegeben wird.

Eine ungewöhnliche und der Tradition widersprechende Version der Fabel von Grille und Ameise erfindet Mathesius. Die Grille bittet nicht vergebens, sondern erhält von der Ameise Nahrung. Das Ameisenreich erscheint als ein Reich des Fleißes und der Nächstenliebe. Hier beginnt die Vermischung der Reiche, mehr noch bei Nathanael Chytraeus (1543-1598), der Luthers Fabelbearbeitung fortsetzt, auf hundert Texte ergänzt und für die christliche Erziehung seiner Schüler zu nutzen versucht. Wenn Luther mit Fabelmotiven wie dem von Grille und Ameise auf biblische Texte wie das Gleichnis von den klugen und törichten Jungfrauen verweist, so dient es der sprachlich-bildlichen Veranschaulichung. Die Reiche werden nicht vermischt. Luther will mit seiner »Fabeldichtung« nicht zum »Verkünder göttlicher Normen« (Kayser 1931, S. 21) werden. Es geht ihm nicht um die »Vermittlung der Normen für ein wahrhaft christliches Verhalten gemäß den reformatorischen Lehren und Moral-

vorstellungen« (Rehermann/Köhler-Zülch 1982, S. 32).
Mehr noch als der erbauliche Lutherbiograf Mathesius verstellt hier Chytraeus den Blick auf Luther.

Die Feststellung, daß weise Kaiser und Fürsten und Dienst-
herren seltene Vögel sind (WA 30.2,558), war für Luther ein
wesentlicher Grund dafür, »das man Kinder zur Schulen halten solle«. In dieser 1530 auf der Feste Coburg geschriebenen
»Predigt« (WA 30.2,508-588) findet man zugleich eine klare
Trennung der beiden Reiche. »Darumb gleich wie des predig
ampts werck und ehre ist, das es aus sundern eitel heiligen,
aus todten lebendige, aus verdampten seligen, aus teuffels
dienern Gottes kinder macht, Also ist des welltlichen regiments werck und ehre, das es aus wilden thieren menschen
macht und menschen erhellt, das sie nicht wilde thiere werden.« (WA 30.2,555) Das weltliche Amt ist zwar neben dem
geistlichen Predigtamt nur wie ein Schatten der Herrschaft
Christi. Aber der zeitliche Nutzen ist von hohem Wert, da es
der Erhaltung von Frieden, Recht und Leben dient (vgl. ebd.
S. 554).

Luthers Auslegung des 101. Psalms, die als »eine der besten
Schriften in deutscher Sprache« (Thiele WA 51,637) gilt, enthält rund 170 Sprichwörter. Diese Psalmenauslegung von
1534/35 (WA 51,197-264), der wir sieben Texte entnommen
haben, wurde zu einem Fürstenspiegel mit zahlreichen An-
spielungen auf den kursächsischen Hof. Luther kritisiert hier
nicht nur die Habgier und Dreistigkeit der Hofleute, sondern
auch Johann Friedrich, der 1532 Kurfürst wurde und den
sein Vetter Moritz die »dicke Hoffahrt von Wittenberg«
nannte.

# Etliche Fabeln
# aus Esopo von D.M.L.
# verdeudscht

(1530)

# I. Torheit.

*Vom Han und Perlen.*

EJn Han scharret auff der Misten und fand eine köstliche
Perlen. Als er dieselbigen im Kot so ligen sahe, sprach er, Sihe,
du feines Dinglin, ligstu hie só jemerlich, Wenn dich ein
Kauffmann fünde, der würde dein fro, und du würdest zu
grossen Ehren komen. Aber du bist Mir und Ich dir kein
nütze. Ich neme ein Körnlin oder Würmlin und lies eim alle
Perlen. Magst bleiben, wie du ligst.
Lere.
DJese Fabel leret, das dis Büchlin bey Bawren und groben
Leuten unwerd ist, wie denn alle Kunst und Weisheit bey
den selbigen veracht ist, Wie man spricht, Kunst gehet nach
Brod. Sie warnet aber, das man die Lere nicht verachten
sol.


*[.1.] Vom Han und Perlin*

Ein han scharret auff der misten, vnd fand eine kostliche perlin, Da er dieselbigen ym kot so liegen sahe, sprach er, mañ-
cher funde dich gerne, [vnd wurde dich mit golde zieren]
[Aber ich] neme ein [kornlin] [und lies eym alle perlin],
Magst bleiben, wie du ligst

  Malum· Malum dicit omnis emptor[1], Wer [Christum]
nicht hat der begerd sein sicut gentes Wer yhn hat der creut-
zigt yhn vnd wil yhn nicht wie die Juden Sic omnis ars prae-
sens, absens habet[2],

  Diese fabel zeigt an, Das, grobe[3] leůte, nicht wissen wo zu
eine einige[4] fabel nütze odder [wenn] sie zu gebrauchen sey,
darumb sie dis buchlin verachten, wie denn alle kunst[5] vnd

weisheit bey solchen leuten vnwerd vnd veracht ist, wie man spricht, kunst gehet nach brod[6],

[1] Jeder Käufer macht die Ware schlecht. [2] Vgl. »Was man nicht weiß, das eben brauchte man. Und was man weiß, kann man nicht brauchen.« (Goethe). [3] unwissende, ungebildete. [4] eine einzige. [5] Wissen, Wissenschaft. [6] Kunst geht betteln. Die Künstler müssen um ihr Auskommen sorgen. Vgl. Luthers Sprichwörtersammlung Nr. 480.

## ·i· Torheit

### Vom Han und perlen

Ein hañ scharret auff der misten, vnd fand eine kostliche per-leñ., Als er die selbigen ym kot so ligen sahe, sprach er, Sihe, dů feines dingliñ, ligstu hie, so iemerlich,, wenn dich ein kauffmañ funde, der wurde dein fro, vnd [du] wurdest zu grossen ehren komen, Aber du bist mir, vnd ich dir, kein nůtze, Ich neme ein kornlin odder wurmlin und lies eym alle perlen,

2 Hahn und Perle

Lere,

Diese fabel leret, das dis büchlin, bey baŭrn vnd groben leüten vnwerd ist, wie denn alle künst und weisheit, bey den
selbigen veracht ist, wie man spricht, kunst gehet nach brod,
Sie warnet aber, das man die lere nicht verachten sol,

# II. Hass.

### Vom Wolff und Lemlin.

EJn Wolff und Lemlin kamen on gefehr beide an einen Bach zu trincken. Der Wolff tranck oben am Bach, das Lemlin aber fern unten. Da der Wolff des Lemlins gewar war, lieff er zu jm, und sprach, Warumb trübestu mir das Wasser[1], das ich nicht trincken kan? Das Lemlin antwortet, Wie kan ich dirs Wasser trüben, trinckestu doch uber mir und möchtest es mir wol trüben? Der Wolff sprach, Wie? Fluchstu mir noch dazu? Das Lemlin antwortet, Ich fluche dir nicht. Der Wolff sprach, Ja, dein Vater thet mir für sechs Monden auch ein solchs. Du wilt dich Vetern. Das Lemlin antwortet, Bin ich doch dazumal nicht geborn gewest, wie sol ich meins Vaters entgelten? Der Wolff sprach, So hastu mir aber mein Wiesen und Ecker abgenaget und verderbet. Das Lemlin antwortet, Wie ist das müglich, hab ich doch noch keine Zeene? Ey sprach der Wolff, und wenn du gleich viel ausreden und schwetzen kanst, wil ich dennoch heint nicht ungefressen bleiben, und würget also das unschüldig Lemlin und frass es.

### Lere.

DEr Welt lauff ist, wer Frum sein wil, der muß leiden, solt man eine Sache vom alten Zaun brechen, Denn Gewalt gehet für Recht. Wenn man dem Hunde zu wil, so hat er das Ledder gefressen[2]. Wenn der Wolff wil, so ist das Lamb unrecht.

[1] Vgl. das Sprichwort »Er hat nie kein Wasser betrubt« in Luthers Sprichwörtersammlung Nr. 264. Luther benutzt öfter die ursprüngliche Beziehung auf die Fabel von Wolf und Lamm, beispielsweise wenn er sagt: »ich musste das Schaf sein, das dem Wolfe das Wasser getrübt hatte; Tetzel ging frei aus; ich musste mich fressen lassen« (vgl. Thiele 1900, S. 250f.; dort weitere Beispiele). [2] Vgl. Luthers Sprichwörtersammlung Nr. 32 und 31. Der Sinn ist: leichtfertig Streit anfangen (Nr. 32) und: Wenn man jemandem etwas anhaben will, findet sich leicht ein Grund.

[2]  *Vom Wolff und lemlin*

Eiñ wolff vnd lemblin kamen beide on gefer an einen bach zu
trincken, Der wolff tranck oben am bach, das lemblin aber
fern vnden, Da der wolff des lemblins gewar ward,, sprach er
zu yhm, Warumb trubstu mir das wasser, das ich nicht
trincken kan? Das lemblin antwortet, Wie kan ich dirs wasser
trüben, so du ober mir trinckest? Du mochtest mirs wol trüben. Der wolff sprach Wie? fluchstu mir noch dazů, Das
lemblin antwortet    Ich fluche dir nicht, Ja sprach der wolff,
Deiñ Vater thet mir fur sechs monden auch ein solches, Das
lemblin antwortet, Wie sol ich meines Vaters entgellten? Der
wolff sprach, du hast mir auch meine wisen vnd acker abgenaget vnd verderbet Das lemblin antwort, Wie ist das muglich, hab ich doch noch keiñe zene? Ey sprach der wolff of du
gleich viel schwetzens kanst, so ⌊mus⌋ ich dennoch heiñt zu
fressen haben, Und wurget das vnschuldig lemblin vnd fras
es,
Diese fabel zeigt
Das gewalt gehet fur recht, Vnd ⌈frum leute⌉ mussen leiden,
solt man ⌈gleich⌉ sachen vom alten zaun brechen., Wenn
man dem hunde zu wil, so hat er das ledder gefressen Wenn
der wolff wil, so ⌊hat⌋ das schaff ⌊vnrecht⌋
Eadem infra repetitur

Ein wolff vnd lemlin kamen vngefer beide an einen bach zu
trincken, Der wolff tranck oben ⌈am bach⌉, das lam aber
⌈fern⌉ vnden    Da der wolff des lams gewar ward, sprach er
zu yhm, Was trubestu mir das wasser eben wenn ich trincken
wil? Das arm lam sprach, wie kan ich dir das wasser truben,
so du ober mir trinckest?, Ich mocht wol sagen, das du mirs
hie niden trube machtest, Der wolff ward zornig vnd sprach,
Ey das dich,, fluchstu mir noch dazů, Das lam sprach, Ich
fluche dir nicht, Ja sprach der wolff, Deiñ Vater thet mir fur

29

sechs monden, auch ein solchs, Sprach das lam, wie sol ich
meines Vaters entgelten  Da sprach der wolff,, du hast mir
auch meine acker vnd wisen mit deinem nagen verderbt Das
lemlin antwort, wie ist das muglich, bin ich do so iung, das ich
noch keine zene habe  Ey sprach der wolff, wenn du dich
[noch] so wol drehen¹ vnd ausreden kundtest, so wil ich dennoch das nachtmal von dir haben, Und fur zu, wurget das
vnschuldige lemlin vnd fras es
Deutung:
Wenn man dem hunde zu wil, so hat er ledder fressen

[1] drehen, entschuldigen im Sinne von: sich einer Verpflichtung zur Beweisführ-
rung entziehen. Vgl. Luthers Sprichwörtersammlung Nr. 139.

# ·ii· Hass,

## *Vom wolff und lemlin*

Ein wolff vnd lemlin kamen on geferd, beide an einen bach
zu trincken, Der wolff tranck oben am bach, Das lemlin aber,
fern vnden  Da der wolff des lemlins gewar ward, lieff er zu
yhm, vnd sprach, Warumb trübestu mir das wasser das ich
nicht trincken kan, Das lemlin antwortet wie kan ich dirs
wasser truben, trinckestu doch ober mir, vnd mochtest es mir
wol truben Der wolff sprach, Wie? fluchestu mir noch dazû?
Das lemlin antwortet, Ich fluche dir nicht. Der wolff sprach,
Ja Dein Vater thet mir fur sechs monden auch ein solchs, du
wilt dich Vetern  Das lemblin antwortet, Bin ich [doch]
dazu mal nicht geborn gewest, wie sol ich meîns Vaters entgelten? Der Wolff sprach, So hastu mir aber, meine wisen vnd
ecker abgenaget vnd verderbet, Das lemlin antwortet, Wie ist
[das] muglich, hab ich doch noch keine zeene? Ey sprach der
wolff, Vnd wenn du gleich viel aüsreden vnd schwetzen
kanst, wil ich dennoch heînt nicht vngefressen bleiben  Und
wûrget also das vnschuldige lemlin und fras es·

30

3 *Wolf und Lamm*

Lere

Der wellt lauff ist, Wer frŭm sein wil, der mus leiden, solt man eine sache vom alten zaŭn brechen, Denn Gewalt gehet fur Recht, Wenn man dem hŭnde zu wil, so hat er das ledder gefressen, Wenn der wolff wil, so ist das lamb vnrecht

# III. Untrew.

*Vom Frosch und der Maus.*

EJne Maus were gern uber ein Wasser gewest und kundte nicht Und bat einen Frosch umb Raht und Hülffe. Der Frosch war ein Schalck und sprach zur Maus, Binde deinen Fuss an meinen Fuss, So wil ich schwimmen und dich hinüber zihen. Da sie aber auffs Wasser kamen, tauchet der Frosch hinuntern und wolt die Maus ertrencken. In dem aber die Maus sich wehret und erbeitet, fleuget ein Weihe daher und erhasschet die Maus, zeucht den Frosch auch mit heraus und frisset sie beide.

Lere.

SJhe dich für, mit wem du handelst. Die Welt ist falsch und untrew vol. Denn welcher Freund den andern vermag, der steckt jn in Sack. Doch schlecht Untrew allzeit jren eigen Herrn, wie dem Frosch hie geschicht.

### [.3.] *Von der maŭs und frossch*

Eiñe maŭs were gern vber ein wasser gewest vnd kund nicht, Da bat sie einen frosch vmb trewen rat, Der frosch war hemisch vnd der maus feind vnd sprach, Biñde deinen fuß an meinen, so wil ich schwymmen vnd dich hinuber zihen, Da sie aber auffs wasser kamen, taŭchet der frosch hiŭntern vnd wolt die maus ertrencken, Jnn dem aber die maŭs sich weret vnd erbeit, fleŭget ein weyh daher und erhasschet die maus, zeucht den frosch auch mit eraus vnd frisset sie alle beide

4 *Maus, Frosch und Weih*

Diese fabel zeigt
Das die wellt ist vol ⌐bosheit vnd⌐ vntrew, Aber doch schlegt
vntrew allzeit yhren herrn, ⌐vnd mus⌐ der ⌐falsche⌐ frosch
⌐ynn seiner vntrew mit der maus verderben⌐
Sihe fur dich
trew ist mislich
Traw wol reyt das pferd weg

## ·ii· Vntrew

*Vom frosch vnd der Maůs*

Eine maůs were gern vber ein wasser gewest vnd kundte
nicht, vnd bat einen frossch vmb rat vnd hůlffe, Der frosch
war ein schalck vnd sprach zur maus, binde deinen fus an

meinen fus, so wil ich schwimmen und dich hinůber zihen, Da
sie aber auffs wasser kamen, tauchet der frosch hin untern,
vnd wolt die maŭs ertrencken, Jnn dem aber die maus sich
weret vnd erbeitet, fleuget ein weyhe daher, vnd erhasschet
die maŭs, zeucht den frosch auch mit eraŭs, vnd frisset sie
beide

Lere

Sihe dich für, mit wem du handelst, Die wellt ist falsch vnd
vntrew [vol] Denn welcher freünd den andern vermag der
steckt yhn ynn sack, Doch,, Schlegt vntrew allzeit yhren eigen
herrn, wie dem frossch hie geschicht

# IIII. Neid.

## Vom Hunde und Schaf

DEr Hund sprach ein Schaf für Gericht an[1] umb Brod, das er
jm gelihen hette. Da aber das Schaf leugnet, berieff sich der
Hunde [so] auff Zeugen, die musste man zu lassen. Der erste
Zeuge war der Wolff, der sprach, Ich weis, das der Hund dem
Schaf Brod gelihen hat. Der Weihe sprach, Ich bin dabey gewest. Der Geir sprach zum Schaf, Wie tharstu das so unver-
schampt leugnen? Also verlor das Schaf seine Sache und
musste mit schaden zur uneben[2] zeit seine Wolle angreiffen,
damit es das Brod bezalet, das es nicht schüldig worden war.
Lere:
Hüt dich vor bösen Nachbarn oder schicke dich auff Gedult,
wiltu bey Leuten wonen[3], Denn es gönnet niemand dem andern was Guts. Das ist der Welt lauff.

[1] verklagte. [2] ungünstigen. [3] rüste dich mit Geduld, wenn du unter
Menschen leben willst.

## [4] Vom hund vnd schaff

EIn hůnd sprach ein schaff fur gericht an vmb brod,, das er
yhm gelihen hette,, Da aber das schaff leůgnet, berieff sich der
hund auff zeugen, die wurden ihm zugelassen Der erste
zeuge, war der wolff, der sprach, Ich weis das der hund dem
schaff brod gelihen hat, Der Weyh sprach, Ich bin auch da
bey gewesen Der Geyr sprach zum schaff, wie tharstu es so
vnuerschampt leůgnen, Also ward das schaff vber wunden,
vnd verurteilt, Dem hunde das brod von stund an widder zu
geben, Vnd muste seine wolle, zur vn̂eben zeit angreiffen, damit es bezalet, das es nie schuldig worden war,
Diese fabel zeigt, Der wellt lauff ist Wenn ein bůbe ynn synn

35

nympt einem schaden zu thŭn, findet er wol mehr buben, die
yhm helffen    Darumb heissts, Patieñtz, wer bey leuten wonen wil

Hutt dich fur bosen nachbarn odder richt dich auff ewige
gedult gegen sie

Wenn die nahbar vbel wollen der mŭs leyden    Got behut
fur bosen nahbarn

# iiii ‚Neid,

### Vom hunde vnd schaff

Der hünd sprach eiñ schaff fur gericht añ, vmb brod, das er
yhm gelihen hette    Da aber das schaff leügnet, berieff sich
der wolff [so!] aüff zeugen, die muste man zu lassen, Der erste
zeuge war der wolff, der sprach, Ich weis, das der hund dem
schaff, brod gelihen hat, Der Weyh sprach Ich bin da bey
gewest, Der Geyr sprach zum schaff wie tharstu das so vnûer-
schampt leugnen? Also [verlor] das schaff seine sache,, Vnd
muste mit schaden zur vñeben zeit, seine wolle angreiffen, da
mit es das brod bezalet,, des es nicht schuldig war

Lere

Hutt dich fur bosen nachbarn, odder schicke dich auff gedult,
wiltŭ bey leüten wonen,, Denn es gonnet niemand dem andern was guts, das ist der wellt lauff,

# V. Geitz.

*Vom Hunde im Wasser*

Es lieff ein Hund durch einen Wasserstrom, und hatte ein stück Fleisch im Maule. Als er aber den schemen[1] vom Fleisch im Wasser sihet, wehnet er, es were auch Fleisch, und schnappet girig darnach. Da er aber das Maul auffthet, empfiel jm das stück Fleisch, und das Wasser fürets weg. Also verlor er beide, das Fleisch und schemen.

Lere.

Man sol sich benügen lassen an dem, das Gott gibt. Wem das wenige verschmahet[2], dem wird das Grösser nicht. Wer zu viel haben wil, der behelt zu letzt nichts. Mancher verleuret das gewisse uber dem ungewissen.

[1] Spiegelbild.    [2] verschmäht, weil es ihm zu gering ist.

[5] *Vom hunde*

Es lieff ein hund durch ein wasser strom vnd hatte ein stuck fleischs ym maul, Als er aber den schemen vom fleisch ym wasser sihet, wehnet er, Es were auch fleisch, vnd schnappet gyrig darnach, Da er aber das maul auffthet, entfiel yhm das stuck fleischs und das wasser furets weg, Also verlor er beyde fleisch und schemen

Dieße fabel zeigt

Man sol sich benügen lassen, an dem das Gott gibt
Wer zu viel haben wil, dem wird zu weng,
Mancher verleurt auch das gewisse vber dem vngewissen,

5  *Hund mit Fleisch im Wasser*

## v Geitz

### *Vom hŭnde ym wasser*

Es lieff ein hund durch ein⌈en⌉ wasser strom vnd hatte ein
stuck fleisch ym maŭle    Als er aber den schemen vom fleisch
ym wasser sihet, wehnet ⌈er⌉ es were auch fleisch, vnd
schnappet gyrig darnach, Da er aber das maul auffthet empfiel yhm das stuck fleisch, vnd das wasser furets weg, Also
verlor er beide das fleisch und schemen

Lere

Man sol sich benugen lassen an dem das Gott gibt    Wem das
wenige verschmahet, dem wird das grosser nicht, Wer zu viel
haben wil, der behelt zu letzt nichts, Mancher verleuret, das
gewisse, vber dem vngewissen

38

# VI. Frevel. Gewalt.

Es gesselleten sich ein Rind, Ziegen und Schaf zum Lewen und zogen mit ein ander auff die Jaget in einen Forst. Da sie nu einen Hirs gefangen und in vier Teil gleich geteilet hatten, sprach der Lewe, Jr wisset, das ein Teil mein ist als ewrs Gesellen. Das ander gebürt mir, als eim Könige unter den Thieren. Das dritte wil ich haben darumb, das ich stercker bin und mehr darnach gelauffen und geerbeitet habe denn jr alle drey. Wer aber das vierdte haben wil, der mus mirs mit gewalt nemen. Also mussten die drey für jre mühe das Nachsehen und den schaden zu Lohn haben.

### Lere.

FAre nicht hoch, Halt dich zu deines Gleichen. Dulcis inexpertis cultura potentis Amici[1]. Es ist mit Herrn nicht gut Kirsschen essen, sie werffen einen mit den Stielen. Ulpia. L. Si non fuerint. Das ist ein Geselschafft mit dem Lewen, wo einer allein den Genies, der ander allein den Schaden hat.

[1] Horaz Ep. I, 18,86: Angenehm für die Unerfahrenen ist der Umgang mit mächtigen Freunden.

## [6] *Von dem Lewen, Riñd, zigen und schaff*

Es gesselleten sich, ein Riñd, zigen, schaff zu einem lewen, vnd zogen miteinander auff eine iaget ynn einen forst, vnd fiengen einen hirs, den teileten sie gleich ynn vier teil, Aber der lew sprach, Ein teil ist mein aus der gesellschafft ⌈das wisset yhr⌉

Ihr wisset, das ein teil mein ist als ewrem gesellen einem ⌈Das ander geburt mir als eim konige aller thiere⌉ Das dritte teil ⌈wil ich haben⌉ weil ich ⌈stercker bin vnd⌉ mehr drumb gelauffen habe, denn yhr Wer aber das vierde ⌈haben wil, der müs mirs mit gewalt nemen⌉

Also ⌈musten⌉ die drey ⌈⌈fur yhre muhe⌉ das nach sehen vnd⌉ den schaden zu lohn haben

6 *Kuh, Ziege, Schaf und Löwe*

Diese fabel leret

Halt dich zu deines gleichen, Vnd [hutt dich fur gewaltigen freunden vnd gesellen] Denn es ist ein alter reym   Geselle dich nicht zu der gewalt, so behelt dein wesen auch ein gestalt[1]

Dulcis inexpertis cultüra potentis amici

fare

freye   nicht gern hoch[2]

[1] von Steinhöwel übernommen; vgl. S. 63.   [2] sei bescheiden.

## vj Freŭel Gewalt

Es geselleten sich, ein Rind, Zigen, vnd schaff zum lewen vnd zogen miteinander auff die iaget yñ einen forst, Da sie nŭ einen hirs gefangen, vnd ynn vier teil gleich geteilet hatten

40

Sprach der Lewe Ihr wisset, das ein teil mein ist als ewrs gesellen,, Das ander geburt mir, als eim konige vnter den thieren, Das dritte wil ich haben darumb das ich stercker bin vnd mehr darnach gelauffen vnd geerbeitet habe, denn yhr alle drey, Wer aber das vierde haben wil, der mus mirs, mit gewallt nemen, Also musten die drey, fur yhre muhe das nach sehen, vnd den schaden zu lohn, haben

Lere

Fare nicht hoch, Hallt dich zu deines gleichen, Dulcis inexpertis cultura potentis amici, Es ist mit herrn nicht gut kirsschen essen, sie werffen einen mit den stilen. Vlp. L. Si non fuerint, Das ist ein gesellschafft mit dem lewen, wo einer allein den genies, der ander allein den schaden hat

# VII. Diese Fabel ist auff ein ander Weise also gestellet.

EJn Lewe, Fuchs und Esel iagten mit einander und fiengen einen Hirs. Da hies der Lewe den Esel das Wilpret teilen. Der Esel macht drey Teil, des ward der Lewe zornig und reis dem Esel die Haut uber den Kopff, das er blutrüstig[1] da stund, Und hies den Fuchs das Wilpret teilen. Der Fuchs sties die drey Teil zusamen und gab sie dem Lewen gar. Des lachet der Lewe und sprach, Wer hat dich so leren teilen? Der Fuchs zeiget auff den Esel und sprach, Der Doctor da im rotten Parret.

Diese Fabel leret zwey Stücke.

DAs erste, Herrn wollen vorteil haben, und man sol mit Herrn nicht Kirsschen essen, sie werfen einen mit den Stilen. Das ander, Felix, *quem faciunt aliena pericula cautum*. Das ist ein weiser Man, der sich an eines andern Unfal bessern kan.

[1] blutüberströmt.

---

[7] *Die selbige fabel auff ein ander weise*

Ein lew, fuchs vnd esel iagten miteinander uñd fiengen einen hirs, Da hies der lew den esel, das wiltpret teilen, Der esel machet dreÿ teyl, Des ward der lew zornig, vnd reiß dem esel die haũt vber den kopff, das er blutrŭstig da stund,, [vnd] hies darnach den fuchs das wiltpret teylen, Der fuchs sties die Drey teil zusamen und gab sie dem lewen gar,, Da sprach der lew, Wer hat dich so leren teilen, Der fuchs zeiget auff den esel vnd sprach, Der doctor [da] ym roten pirret

Diese fabel leret zwey stuck

Das erst, Herrñ wollen vorteil haben und man sol mit herrn nicht kirschen essen sie werffen einen mit [den] stilen,

42

*Diese fabel [ist] auff ein ander weise also gestellet*

Ein lewe, fuchs vnd Esel iagten miteinander vnd fiengen einen hirs, Da hies der lewe den Esel das wiltpret teilen, Der esel machet drey teil   Des ward der lewe zornig, vnd reis dem esel die haut vber den kopff, das er blutrustig da stund, Vnd hies den fuchs das wiltprett teilen, Der fuchs sties die drey teil zu samen vnd gab sie dem lewen gar   Des lachet die Lewe, vnd sprach, Wer hat dich so leren teilen, Der füchs zeiget auff den Esel und sprach, Der Doctor da ym roten parret, (Hier bricht Luthers Reinschrift ab.)

7  *Löwe, Esel und Fuchs*

# VIII. Vom Diebe.

Es freiet eins mals ein Dieb, und seine nachbarn waren frölich auff seiner Hochzeit, denn sie hoffeten, er würde hinfurt
from werden. Da kam ein klüger man dazu, und als er sie so in
freuden sahe, sprach er, Sehet zu, seid nicht allzu frölich. Die
Sonn wolt auch ein mal freien, Des erschrack alle Welt und
ward so ungedultig, das sie auch in den Himel fluchet und
schald. Es fragt Jupiter aus dem Himel, Was das fluchen bedeutet. Da sprach alle Welt, Wir haben jtzt ein einige Sonne,
und die thut uns mit jrer Hitze so viel zu leide, das wir schier
alle verderben. Was wil werden, wenn die Sonne mehr Sonnen zeugen wird?

     Diese Fabel zeigt der Welt.
  Man darff den Teufel uber die Thür nicht malen[1],
  Gris schlecht gern nach gramen,
  Ein dieb zeugt den andern.
  Hilff frome Leute mehren,
  Der Bösen ist sonst zu viel.

Mancher schalck wird durch frome Leute gefördert, der
darnach seines Gleichen an sich zeucht, Landen und Leuten
seer schedlich ist. Darumb sihe dich für, wem du rahten oder
helffen solt. An frembden Kindern und Hunden (spricht man)
ist das Brod verloren.

[1] Vgl. Luthers Sprichwörtersammlung Nr. 356 und 357. Der Sinn der drei Ver-
sionen – den Teufel an die Wand oder über die Tür malen (Nr. 356) oder zum
Gevatter bitten (Nr. 357) – ist wesentlich gleich: Es bedarf keiner Einladung; denn
er kommt von selbst. (vgl. die zahlreichen Beispiele bei Thiele 1900, S. 324–328).

*Vom diebe*

Es freyet eins mals ein dieb, vnd seine nachbarn waren frolich auff seiner hochzeit, Denn sie hoffeten, Er wurde hinfurt
früm werden Da kam ein kluger man dazu, Vnd als er sie so

ynn freüden sach, Sprach er Sehet zů Seid nicht allzu frolich
Die Sonne wolt aůch ein mal freÿen, des erschrack alle wellt,
vnd ward so ungedultig das sie auch ynn den hymel fluchet
vnd schalt, [Es fragt aus dem himel], was das fluchen bedeutet, Da sprach alle welt Wir haben itzt ein einige soñe vnd die
thut vns mit yhrer hitze so viel zu leide, das wir schier alle
verderben, Was wil werdenn wenn die Sonne mehr Sonnen
zeugen wird?

> Diese fabel zeigt Der wellt
> Darff den teuffel uber die thur malen
> Gris schlecht gern nach gramen
> Ein dieb zeugt den andern
>> Hilff frume leute mehren
>> Der bosen ist sonst zu viel
>
> Sihe zu wem du helffest
> fodderst
>
> Der wellt

Mancher schalck [wird] durch frume leute gefoddert, der
darnach [seinesgleichen an sich [zeucht]] land vnd leuten
seer schedlich ist   Darumb sihe dich fur, wem du helffen odder raten solt, An frembden kindern und hunden (spricht
man) ist das brod verloren

# IX. Vom Kranich und Wolffe.

DA der Wolff eins mals ein Schaf geiziglich[1] fras, bleib jm ein Bein im Halse uber zwerch stecken, davon er grosse Not und Angst hatte, Und erbot sich gros Lohn und Geschenck zu geben, wer jm hülffe. Da kam der Kranich und sties seinen langen Kragen dem Wolff in den Rachen und zoch das Bein eraus. Da er aber das verheissen Lohn foddert, sprach der Wolff, Wiltu noch Lohn haben, Dancke du Gott, das ich dir den Hals nicht abgebissen habe, du soltest mir schencken[2], das du lebendig aus meinem Rachen komen bist.

Diese Fabel zeigt.

Wer den Leuten in der Welt wil wol thun, der mus sich erwegen[3] Undanck zuverdienen. Die Welt lohnet nicht anders denn mit Undanck, wie man spricht. Wer einen vom Galgen erlöset, Dem hilfft derselbige gern dran.

[1] gierig.  [2] als Geschenk anrechnen.  [3] damit abfinden.

8 *Wolf und Kranich*

## Vom Kranich und Wolffe

⌈Da der⌉ wolff ⌈eins mals, ein schaff geitziglich fras,⌉ bleib yhm ein beyn ⌈ym⌉ halse oberzwerig stecken, daüoñ er grosse not vnd angst hatte, Vnd erbot sich, gros lohn vnd geschenck zu geben wer yhm hulffe, Da kam der krañich und sties seinen langen kragen dem wolff ynn den rachen vnd zoch das beyn eraus, Da er aber das verheissen lohn foddert, sprach der wolff, Wiltu noch lohn haben, Dancke du Gott, das ich dir den hals nicht abgebissen ⌈habe⌉, du soltest mir schencken das du lebendig aus meinem rachen ⌈komen bist⌉

Diese fabel zeigt

Wer ⌈den⌉ leuten ⌈ynn der welt⌉ wil wol thŭn, der mus sich erwegen, vñdañck zu verdienen, Die wellt lohnet ⌈nicht anders denn⌉ mit vndanck Wie man spricht, Wer einen vom galgen erloset dem hilfft der selbige gerne dran

Der deñcke nicht das man yhm dancke etc.

quere in prouerbij[1]

[1] quaere in proverbiis: Luther verweist damit auf Bibelsprüche oder Volkssprichwörter.

# X. Vom Hund und der Hündin.

EJn schwangere Hündin bat mit demütigen Worten einen Hund, das er jr wolt sein Heuslin gönnen, bis sie geworffen hette. Das that der Hund gerne. Da nu die jungen Hündlin erwuchsen, begert der Hund sein Heuslin wider, aber die Hündin wolte nicht. Zu letzt drewet jr der Hund und hies sie das Heuslin reumen. Da ward die Hündin zornig, und sprach, Bistu böse, so beis uns hinaus.

Dise Fabel zeigt, Wenn die Laus in grind komet, so macht sie sich beschissen[1]. Sihe, wie du des Bösen los werdest, wens uberhand kriegt. Der Teufel ist gut zu Gast zu bitten[2], Aber man kan sein nicht wol los werden.

[1] wird sie stolz, anspruchsvoll. [2] Vgl. Luthers Sprichwörtersammlung Nr. 357.

### *Vom hund und der hundin*

Eine ⌈schwangere⌉ Hŭndin bat mit demutigen worten einen hund, das er ⌈yhr⌉ wolt sein heüsliñ gonnen, bis sie geworffen hette, ⌈Das that⌉ Der hund ⌈gerne⌉, Da nu die iŭngen hundlin wŭchsen, begert der hund sein heuslin widder, Aber die hündin wolte nicht, zu letzt drewet yhr der hünd und hies sie das heüslin rewmen, Da ward die hündin zornig und sprach Bistŭ bose,, so beys uns hynaŭs

### Ingratitudo
Diese fabel zeigt:

Wenn die laŭs yñ̃ griñd komet, so macht sie sich beschissen
Wenn mañ den teŭffel zu gast ladet
Sihe, wie du des bosen los werdest, wenns vber hand
kriegt

## XI. Vom Esel und Lewen.

DEr Esel ward auch ein mal Bawrkündig[1], und als er einem Lewen begegnet, grüsset er jn hönisch und sprach, Jch grüsse dich, Bruder. Den Lewen verdros der hönissche Grus, dacht aber bey sich selbs, Was sol ich mich an dem Schelmen rechen, Jch schelte oder zureisse jn, so lege ich kein Ehre ein. Jch wil den Narren lassen faren.

Lere.

Hoc scio pro certo, quod si cum stercore certo
  Vinco vel vincor, semper ego maculor.[2]
Wer mit eim Dreck rammelt,
  Er gewinne oder verliere, so gehet er beschissen davon.

[1] übermütig. [2] Dieses Distichon zitiert Luther bereits in der Schrift *De captivitate Babylonica* (vgl. WA 6,501). Wörtlich übersetzt lautet es: Dies weiß ich gewiß, wenn ich mit dem Mist streite, ob ich gewinne oder verliere: ich mache mich immer schmutzig.

### Vom Esel und lewen

Der esel ward auch ein mal ⌈baůrkündig⌉ vnd als er einem lewen begegenet, grusset er yhn honisch vnd sprach· Ich grusse dich bruder, Den lawen ver⌈dros der⌉ honische ⌈grus⌉., dacht aber bey sich selbs, Was sol ich mich an dem schelmen rechen, Ich schelte odder zureisse yhn, so lege ⌈ich⌉ keine ehre ein, Ich wil denn narren lassen faren

Hoc scio pro certo, qůod si cum stercore certo
  Vinco vel vincor, semper ego macůlor
Wer mit ⌈eym⌉ drecke rammelt
  Er gewune odder verliere, so ⌊gehet⌋ er beschissen dauon

49

# XII.

EJn Stadmaus gieng spaciren und kam zu einer Feldmaus, die thet jr gütlich mit Eicheln, Gersten, Nüssen, und womit sie kund. Aber die Stadmaus sprach, du bist eine arme Maus, was wiltu hie in Armut leben. Kome mit mir, ich wil dir und mir gnug schaffen von allerley köstlicher Speise. Die Feldmaus zog mit jr hin in ein herrlich schön Haus, darin die Stadmaus wonet, und giengen in die Kemnoten, da war vol auff, von Brod, Fleisch, Speck, Würste, Kese und alles, da sprach die Stadmaus, Nu iss und sey guter ding, solcher Speise hab ich teglich uberflüssig.

In des kömpt der Kelner[1] und rumpelt mit den Schlüsseln an der thür. Die Meuse erschracken und lieffen davon. Die Stadmaus fand bald jr Loch, Aber die Feldmaus wüsste nirgend hin, Lieff die wand auff und abe und hatte sich jres Lebens erwegen.

Da der Kelner wider hinaus war, sprach die Stadmaus, Es hat nu kein Not, las uns guter ding sein. Die Feldmaus antwortet, Du hast gut sagen, du wusstest dein Loch fein zu treffen, dieweil bin ich schier für Angst gestorben. Jch wil dir sagen, was die meinung ist[2]. Bleibe du eine reiche Stadmaus und fris Würste und Speck, Ich wil ein armes Feldmeuslin bleiben und mein Eicheln essen. Du bist kein Augenblick sicher für dem Kelner, für den Katzen, für so viel Meusefallen, und ist dir das gantze Haus feind, solchs alles bin ich frey und sicher in meinem armen Feldlöchlin.

In grossen Wassern fehet man grosse Fissche,[3]

Aber in kleinen wassern fehet man gute Fisschlin.

Wer Reich ist hat viel $\left\{ \begin{array}{l} \text{Neider,} \\ \text{Sorge,} \\ \text{Fahr.} \end{array} \right.$

[1] Kellermeister. [2] meinen Vorschlag, meine Meinung. [3] Vgl. Luthers Sprichwörtersammlung Nr. 100 und 102.

50

9 *Stadtmaus und Feldmaus*

[13]

Eine [Stad]maus [gieng spatzieren vnd kam zu] einer feld-
maŭs, die thet yhr gutlich, mit eicheln, gersten ñŭssen vnd wo
mit sie kŭnd    Aber die [Stad]maus sprach, Du bist ein arme
maus, Was wiltu hie ynn armut leben kom mit mir, ich wil dir
vnd mir gnug schaffen von allerley kostlicher speise, [Die
feldmaus] zog mit [yhr] hin, ynn ein herrlich schon haus,
darinn die [Stad]maus wonet, vnd giengen ynn die kemnoten, dor war vol [auff von] fleisch, [speck] wurste, brod kese
vnd alles, Da sprach die [Stad]maus, Nŭ isß vnd sey guter
ding    Solcher speise hab ich teglich vberflussig, Jnn des
kompt der kelner und rumpelt mit den schlusseln an der thur,
Die meuse erschracken vnd lieffen dauon die [Stad]maus
fand bald yhr loch, Aber die felt maus, wuste nirgen hin, lieff
die wand auff vnd abe vnd hatte sich yhrs lebens erwe-

gen[1]  Da der kelner widder hinaus war, sprach die ⌈Stad⌉-
maus, Es hat ⌈nü⌉ kein not, las vns guter dinge sein, Die felt
maus antwortet, du hast güt sagen, Du wustest dein loch fein
zu treffen, die weil bin ich schier fur angst gestorben, Jch wil
dir sagen was die meinung ist, bleib du ein reiche ⌈Stad⌉maus
vnd fris würste vnd speck, Ich wil eine armes feld⌈meuslin⌉
bleiben vnd meine eicheln essen, Du bist ⌈kein augenblick⌉
sicher fur dem kelner, fur den katzen fur so viel meusefallen
vnd ist dir das gantze haus feind    Solchs alles bin ich frey und
sicher ynn meinem ⌊armen⌋ feldlochlin.

 In grossem wasser fehet man grosse fissche
 Aber ynn kleinem wasser fehet man gute fissche
       neyder
 Wer reich ist, hat viel – sorge
       fahr

[1] war auf den Tod gefaßt.

52

# XIII. Vom Raben und Fuchse.

EJn Rab hatte einen Kese gestolen und satzte sich auffeinen hohen Baum und wolte zeren. Als er aber seiner art nach nicht schweigen kan, wenn er isset, höret jn ein Fuchs uber dem Kese kecken und lieff zu und sprach, O Rab, nu hab ich mein lebtag nicht schöner Vogel gesehen von Feddern und Gestalt denn du bist. Und wenn du auch so eine schöne Stimme hettest zu singen, so solt man dich zum Könige krönen uber alle Vögel.

Den Raben kützelt solch Lob und Schmeicheln, fing an, wolt sein schönen Gesang hören lassen, und als er den Schnabel auffthet, empfiel im der Kese, den nam der Fuchs behend, fras jn und lachet des thörichten Rabens.

Hüt dich, wenn der Fuchs den Raben lobt.

Hüt dich für schmeichlern, so schinden und schaben etc.

10 *Fuchs und Rabe*

*Vom Raben und fuchse*

Ein rab hatte einen keße gestolen vnd satzt sich auff einen hohen bawm vnd wolte zeren   Als er aber seiner art nach nicht schweigen kan wenn er isset, horet yhn ein fuchs, vber dem keße kecken vnd lieff zu, Vnd sprach O rab, nŭ hab ich mein [leb]tage nicht schoner vogel gesehen von feddern vnd gestalt, denn du bist   Vnd wenn du auch [so] eîne [schone] stimme hettest zu sîngen, so solt man dich zum konige kronen [vber] aller vogel. Den Raben kützelt solch lob vnd schmeicheln, fieng an und wolt sein schon gesang [horen lassen], Vnd als er den schnabel auffthet empfiel yhm der kese, den nam der fuchs behend, fras yhn vnd lachet des torichten Rabens,

   Hut dich wenn der fuchs den Raben lobt   Hut fur schmeicheln[1], so schinden vnd schaben[2]

[1] Schmeichlern. [2] ausbeuten.

# Luthers Vorlage

# Fabula prima de gallo et margarita.

In sterquilinio quidam pullus gallinatius dum quereret escam, invenit margaritam in loco indigno iacentem, quam cum videret iacentem sic ait: O bona res, in stercore hic iaces! si te cupidus invenisset, cum quo gaudio rapuisset ac in pristinum decoris tui statum redisses. Ego frustra te in hoc loco invenio iacentem, ubi potius mihi escam quero, et nec ego tibi prosum, nec tu mihi. Hec Esopus illis narrat, qui ipsum legunt et non intelligunt.

## Die erst fabel von dem han und dem bernlin.

Ein han suchet syne spys uff ainer misty, und als er scharret, fand er ain kostlichs bernlin an der unwirdigen statt ligende; do er aber daz also ligend sach, sprach er: O du guotes ding, wie liegst du so ellenglich in dem kautt! hette dich ain gytiger gefunden, wie mit großen fröden hett er dich uffgezuket, und werest du wider in den alten schyn dyner zierde geseczet worden. So aber ich dich finde an der schnöden statt ligende, und lieber myne spys fünde, so bist du weder mir nüczlich, noch ich dir. Dise fabel sagt Esopus denen, die in lesent und nit verstant, die nit erkennent die kraft des edeln bernlins, und das honig uß den bluomen nit sugen künent; wann den selben ist er nit nüczlich ze lesen.

## 2. Fabula secunda de lupo et agno.

Esopus de innocente et improbo talem retulit fabulam. Agnus et lupus sicientes ad rivum e diverso venerunt; sursum bibebat lupus, longeque inferior agnus. Lupus ut agnum vidit sic ait: Turbasti mihi aquam bibenti. Agnus patiens dixit: Quomodo aquam turbavi tibi, que ad me de te recurrit? Lupus non erubuit veritatem ac: Maledicis mihi? inquit. Agnus ait: Non maledixi tibi. At lupus: Et ante sex menses ita pater tuus mihi fecit. Agnus ait: Nec ego tunc natus eram. At lupus denuo ait: Agrum mihi pascendo devastasti. Agnus inquit: Cum dentibus caream, quomodo id facere potui? Lupus demum ira concitus ait: Licet tua nequeam solvere argumenta, cenare tamen opipare intendo; agnumque cepit, innocentique vitam eripuit ac manducavit. Fabula significat, quod apud improbos calumniatores ratio et veritas non habent.

*Die ander fabel von dem wolff und dem lamp.*

Esopus seczet von den unschuldigen und den böslistigen triegern ain sölliche fabel. Ain wolff und ain lamp, baide durstige, kamen an ainen bach, allda ze trinken; der wolff trank oben an dem bach, und das lamp ferr unden. Do der wolf das lamp ersach, sprach er zuo im: So ich trinke, so trübst du mir das waßer? Das geduldig lemlin sprach: Wie mag ich dir das waßer trüb machen, das von dir zu mir flüßet? Der wolf errötet nit von der warhait des lamps und sprach: He, he, du fluochest mir. Antwürt daz lamp: Ich fluoch dir nit. Ja, sprach der wolf, vor sechs monet det mirs dyn vater ouch. Do sprach das lamp: Nun bin ich doch die selben zyt dannocht nit geboren gewesen. Do sprach der wolf: Du hast mir ouch mynen aker gar verwüst mit dynem nagen und verheret. Do sprach das lamp: Wie möcht das gesyn, nun hab ich doch der zen nicht.

Do ward der wolf in zorn bewegt und sprach: Wie wol ich dyne argument und ußzüg nit alle widerreden kan, so will ich doch ain rychlich nachtmal hinacht mit dir haben. Er fieng das unschuldig lemplin, er nam im sin leben und fraß es. Mit diser fabel will Esopus bezaigen, daz by bösen und untrüwen anklegern vernunft und warhait kain statt finden mag; söliche wolf fint man in allen stetten.

# 3. Fabula tercia de mure, de rana et de milvo.

Qui de salute alterius adversa cogitat, non effugiet malum.
De quo talem audi fabulam. Mus dum transire vellet flumen,
a rana petit auxilium. At illa grossum petit limum, quo murem sibi ad pedem ligavit et natare cepit flumen. In medio
vero flumine se deorsum mersit, ut misero muri vitam eripe-
ret. Ille validus dum teneret vires, milvus e contra volans murem cum unguibus rapuit, simul et ranam pendentem sustulit.
Sic et illis contingit, qui de salute alterius adversa cogitant.

### Die iii. Von der mus, frosch und wyen.

Welher gedenckt dem andern laid und widerwärtikait ze er-
zögen, der würt dem übel hart entrinnen; darvon hör ain fabel. Zu zyten wäre ain mus gern über ain waßer gewesen, und
begeret raut und hilff von einem frosch. Der frosch nam ain
schnur und band den fuoß der mus an synen fuoß, und fieng
an über das waßer ze schwimmen. Und als er mitten in das
waßer kam, tunket sich der frosch, und zoch die mus under
sich und wolt sie ertrenken. Do des die ellend mus empfand,
widerstund sy dem frosch nach ieren krefften; in dem kompt
ein wy geflogen und nimpt die mit synen klawen, und den
hangenden frosch mit ir und aß sie baide. Also beschicht ouch
denen, die ander lüt veruntrüwen wellent, und versprechent
hilff, und begeren ze schedigen, das in offt gelyche bütt würt.
Dise fabel findst ouch völliger in dem leben Esopi by dem end.

## 4. Fabula iv de cane et ove.

De calumniosis hominibus talis dicitur fabula, quod semper calumniosi in bonos cogitant mendacium et faventes secum adducunt ac falsos testes emunt. De his ergo talis preponiter fabula. Canis calumniosus dixit deberi sibi ab ove panem, quem dederat mutuo. Contendebat autem ovis, nunquam se panem ab illo recepisse. Cum autem ante iudicem venissent, canis dixit se habere testes. Introductus lupus ait: Scio panem comodatum ovi. Inductus milvus: Me coram inquit accepit. Accipiter cum introisset: Quare negasti quod accepisti inquit? Victa ovis tribus testibus falsis, indicatur artius exigi. Coacta vero ante tempus lanas suas vendidisse dicitur, ut quod non habuit redderet. Sic calumniosi faciunt malum innocentibus et miseris.

*Die iv fabel von dem hund und schauff.*

Von den ... seczet Esopus ain söliche fabel. Ain ... hund sprach ain schauff an vor gericht umb ain brot, das er im geluhen hette. Das schauff lögnet und sprach, er hett nie kain brot von im enpfangen. Der hund rümet sich zügnus, die ward im ze hören erkennet; do ward für gezogen ain wolf der sprach: Ich waiß, das er im das brot gelühen hat. Mer ain wy oder ain aar der sprach: Ich bin darby gewesen. Do der gyr hin yn gieng, sprach er zu dem schauff: Wie getarst du lögnen, das du enpfangen hast? Das schauff ward überwonden mit dry falschen zögen, und geurtailt, dem hund das brot alsbald wider ze geben, und ward bezwungen, syne wollen ze unrechten zyten an ze gryffen, daz es bezalen möchte, das es nie schuldig worden was. Also tund die ... den unschuldigen, daz sy allweg triegery über sie erdenkend, und ir fürniemen mit falschen zügen und gestiften lügen bestetigent.

# 5. Fabula v de cane et frusto carnis.

Amitit proprium quisque avidus alienum sumere cupit. De talibus Esopi fabula sic narrat. Canis flumen transiens partem carnis ore tenebat, cuius umbram videns in aqua, aliam carnem credens, patefecit os, ut etiam eandem arriperet; et illam quam tenebat dimisit, eamque statimque fluvius rapuit. Et sic constitit ubi illam perdidit, et quam putabat sub aqua arripere, non habuit, ac illam quam ferebat similiter perdidit. Sic sepe qui alienum querit, dum plus vult sua perdit.

*Die v fabel von dem hund und stuk flaisch.*

Welher ze vil gytig ist über fremdes guot, der verlürt offt syn aigen guot dardurch. Von den selben sagt Esopus also. Ain hund truog ain stük flaisch in dem mul, und lieff durch ain fließend waßer. Im durchlouffen sicht er das flaisch in das waßer schynen, und wänet er sech ain ander stuk in dem waßer, und ward begirig das selb ouch ze niemen, und so bald er das mul uff tett, das selb ouch ze erwüschen, enpfiel im das, das er vor truog, und fuort es das waßer bald hinweg. Also stuond er und hett das gewiß mit dem ungewißen verlorn. Darumb welher gytiger ze vil wil, dem würt offt ze wenig.

# 6. Fabula vi de leone, vacca, capra et ove.

Dicitur in proverbio nunquam fidelem esse potentis divisionem cum paupere. De isto videamus quid hec fabula narret cunctis hominibus. Iuvenca, capella et ovis socii fuerunt simul cum leone, qui cum in saltibus venissent et cepissent cervum, factis partibus leo sic ait: Ego primam tollam ut leo; secunda pars mea est, eo quod sim fortior vobis; tercia vero mihi defendo quia plus vobis cucurri, quartam vero qui tetigerit me inimicum habebit. Sic totam predam illam solus improbitate sua abstulit. Cunctos monet hec fabula non sociari cum potentibus.

*Die vi fabel von dem löwen, rind, gaiß und schauf.*

Es ist ain gemain sprichwort: *Nicht gesell dich zuo gewalt, so behelt dyn wesen ouch ain guot gestalt.* Von dem sagt Esopus allen menschen ain sölliche fabel. Ain rind, ain gaiß, ain schauff, geselten sich zuo ainem löwen. Sie zohen mit ainander uff das gejägt in ainen forst und fiengen ainen hirs, der ward in fier tail getailet. Do sprach der leo: Den ersten tail nim ich, darumb, das ich ain leo und ain künig aller tiere bin; so ist der ander tail myn, darumb das ich sterker bin wann ir; so will ich den dritten han, darumb das ich fester geloffen bin wann ir. Welher aber den fierden an regt, des fynd will ich syn. Also schilet der untrüw leo die dry von ieren tailen und behielt er sie all. Dise fabel warnet alle menschen vor der mechtigen geselschafft hüten söllen; die selben fabel seczet Rimicius in der nüwen translation uß kriechisch in latin von dem löwen, aim esel und aim fuchs. Und als der esel von dem löwen gehaißen ward ze tailen, machet er dry tail dar uß. Darum ward der leo zornig über den esel und grißgramet mit den zenen und sprach zuo dem fuchs, er solte tailen. Do stieß der fuchs die tail all dry wider zesamen und gab sie dem löwen gar. Das gefiel im und sprach: Fuchs, wer hat dich so wol gelert tailen? Antwürt er bald: Die sorg, dar inn der esel gestanden ist, hat michs geleret. Und wyset dise fabel, das der sälig ist, den fremde sorg fürsichtig machet.

## 7. Fabula vii de fure, malo et sole.

Natura nemo mutatur; sed de malo peior nascitur. De hoc audi fabulam. Vicini, qui erant furi, frequentabant illi nuptias. Sapiens cum intervenisset vicinos gratulari ut vidit, continuo narrare cepit: Audite inquit, gaudia vestra. Sol uxorem voluit ducere; omnis natio interdixit ei, et magno clamore Iovi conviciis non tacuerunt. Iupiter commotus ab illis causas iniurie querit; tunc unus ex illis ait Iovi: Modo sol unus est nobis et esta suo omnia turbat tanto, ut deficiat simul omnis natura; quid nam erit nobis futurum, cum sol filios procreaverit! Admonet, malis hominibus non congratulari.

*Die vii fabel von dem dieb und der sunnen.*

Was dem menschen von der natur anhanget, das mag im hart benomenn werden, als dise fabel bezüget. Uff ain zyt hetten die nachpuren große fröd und wolnust mit ainem dieb uf syner hochzyt, in hoffnung er würde sich verkeren. Zuo denen kam ain wyser man, und als er sie in fröden sach, sprach er zuo in: Hören zuo. Ich will üch üwere fröden ußlegen. Die sunn wolt sich uf ain zyt vermäheln, das was wider alle land, und warde die gancz welt darumb ungedultig, so vil, das sie ouch den öbristen got Iupiter darumb scheltwort nicht überhuobent. Darumb ward Iupiter zornig, und fraget ursach der scheltwort. Do sprach ainer zuo im: Wir haben iecz nit me wann ain ainige sunnen, die betrübt alle ding mit ierer hicz, so vil, das sich die natur dar von krenket; was sol uns dann künfftig werden, wann die sunn ander sunnen bringen würde? Die fabel zögt, das man sich nit mit den bösen fröwen sol umb syns gelychen zemerren; wann griß schlecht gern nach gramen, ain dieb bringt den andern.

# 8. Fabula octava, de lupo et grue.

Quicunque malo benefacit, satis peccat, de quo talem audi fabulam. Ossa lupus cum devoraret, unum ex illis in faucibus ei adhesit transversum, graviter eum affligens. Invitavit lupus magno premio, qui ab hoc malo ipsum liberaret, os illud de faucibus extrahendo. Rogabatur grus collo longo, ut prestaret lupo medicinas. Id egit, ut immitteret caput faucibus lupi et os ledens extraheret. Sanus cum esset lupus, rogabat grus promissa sibi premia reddi. At lupus dixisse dicitur: O quam ingrata est grus illa, que caput incolume de nostris faucibus extraxit, nec dentibus meis in aliquo vexatum, et insuper mercedem postulat. Nunquit meis virtutibus facit iniuriam. Hec fabula monet illos, qui malis volunt benefacere.

*Die viii fabel von dem wolff und kranch.*

Welher den bösen wol tuot, der würt selten belönet; dar von hör dise fabel. Ain wolff verschland ain bain, an dem er große pyn erlaide, wann es im über zwerch in dem schlund was gesteket; der erbot sich großes lones, welher im an dem übel möchte gehelffen. Do ward berüffet der kranch mit dem langen hals, daz er dem wolff hilff bewyset, der selb stieß synen kragen in den schlund des wolffes und zoch im das bain daruß und machet in gesund. Als aber dem wolff geholffenn ward, begeret der kranch, daz im der versprochen lon würde gegeben. Do sagt man wie der wolff spräche: O wie undankbar ist dieser kranch, so er so tief ist in mynen schlund gewesen, und hab ich in ungeleczt von mynen zennen laßen genesen, und begeret dannoch lones von mir, daz doch mynen tugenden schmachlich ist! Dise fabel warnet alle die, die den bösen wellent dienstlich syn oder guotes bewysen.

## 9. Fabula nona de duobus canibus.

Blanda verba mali hominis graves faciunt iniurias, quas ut omnes vitemus subjecta monet fabula. Canis parturiens rogabat alteram, ut in eius cubiculo exponeret foetum. At illa roganti concessit ingressum, ut partum exponeret; deinde et illa rogabatur, ut cum catulis suis iam firmis exiret, illa vero roganti non concessit. Paulo post ille cepit cubile suum repetere et minando illam ut exiret hortari. At illa ab stomacho sic ait: Quid me turbas cum iniuria? Si mihi meeque turbe occurras et sis fortior nobis, reddam locum tibi. Sic sepe boni amittunt sua per aliorum verba blanda.

*Die ix fabel von zweien hunden.*

Senftmütige schmaichwort bringent offt den menschen schädliche ungemach. Und darumb daz wir den schmaichern und liebkallern nit uff losen, sonder sie vermyden, seczet Esopus dise fabel. Ain tragende hüntin bat mit senften schmaichenden worten demütiglich ainen hund, das er ir vergündet in synem hüslin ze welffen. Der hund vergündet ir das und wich uß synem huß und ließ sie dar inn. Da das beschach daz sie gewelffet hett und nun die jungen erstarket waren, bat sie der hund uß ze gan und syn hus zerumen, aber sie wolt es nit tuon. Unlang darnach erfordert der hund syn hus mit etwas tröworten bittende; do antwürt im die hüntin ungestümglich: Warumb bekimerst mich unrechtiglich? wilt du je wider mich und myn volk syn oder bist du sterker wann wir, so will ich uß dem hus wychen. Also verlieren offt die fromen ir guot durch schmaichwort und liebkallen der bösen.

## 11. Fabula xi de asino et apro.

De male ridentibus sapiens talem subicit fabulam. Aliqui homines aliis contumeliosi existunt, sed sibi congerant malum, veluti asinus occurrit apro: Salve, inquit, frater. Indignatus aper tacuit dissimulans, agitavitque caput. Absit, inquit, tamen a me, ut de vano sanguine dentes meos coinquinem, nam oportebit vel iniuriosum vel laceratum relinquere. Monet hec fabula insipientibus parci debere, stultos autem defendere, qui insultare volunt melioribus.

### Die xi fabel von dem esel und wilden schwyn.

Von den übermütigen torochten spötigen menschen seczet der wys ain sölliche fabel. Etlich menschen schmächent die andern, dar uß in selber ungemach uff erstat. Als der esel, do er dem wilden schwyn begegnet, sprach er zuo im: Ich grüß dich, bruoder. Daz schwyn ward unwirsch und gab im nit antwürt und verachtet syne wort, und schütet den kopf und gedacht in im selb: Du wilt dyn zen mit dem üppigen bluot nit vermalgen. Wann wa du dich mit im ynlegtest, so müstest aintweders in scheltenden oder zerrißnen hinder dir laßen und ist beßer den toren über hören. Dise fabel leret die menschen, daz man den toren vertragen sol und die narren beschirmen, die den wysen törlichen zuoredent.

# 12. Fabula xii de duobus muribus.

Securum in paupertate milius esse quam divitem tedio mace-
rari, par hanc brevem auctoris probatur fabulam. Mus urbanus iter agebat sicque a mure agrario rogatus hospitio susci-
pitur, et in eius brevi casella ei glandes et ordeum exhibuit.
Deinde abiens mus itinere perfecto murem agrarium rogabat,
ut etiam ipse secum pranderet, factumque est dum simul
transirent, ut ingrederentur domum honestam in quoddam
cellarium bonis omnibus refectum. Cum hec mus muri osten-
deret, sic ait: Fruere mecum, amice, de hiis que nobis quotti-
die superant. Cumque multis cibariis vescerentur, venit cellerarius festinans et ostium cellarii impulit; mures strepitu
territi fugam per diversa petiere. Mus urbanus notis cavernis
cito se abscondit. At miser ille agrarius fugit per parietes igna-
rus morti se proximam putans. Dum vero cellerarius exiret
celare ostio clauso, sic mus urbanus agrario dixit: Quid te
fugiendo turbasti? fruamur amice bonis his ferculis omnibus!
nil verearis nec timeas, periculum namque nullum est nobis.
Agrarius hec contra: Tu fruere his omnibus, qui nec times nec
pavescis, nec te quottidiana terret turbatio; ego vivo frugi in
agro ad omnia letus. Nullus me terret timor, nulla mihi cor-
poris perturbacio. At tibi omnis sollicitudo et nulla est securi-
tas, a tensa teneris muscipula, a catto captus comederis, ac
infestus ab omnibus exosus haberis. Hec fabula illos increpat,
qui se iungunt melioribus, ut aliquo bono fruantur, quod ipsis a natura datum non est, diligant ergo vitam homines fru-
galem ipsis a natura datam, et securiores in casellis vivent.


*Die xii fabel von zwaien müsen.*

Vil beßer ist in armuot sicher leben, wann in richtung durch
forcht und sorgfeltikait verschmorren, als durch dise kurcze

fabel Esopi wart bewyset. Ain husmus gieng über feld und ward von ainer feldmus gebetten, by ir ze herbergen. Von der sie ward wol und schon in ir klaines hüslin enpfangen, und mit aicheln und gersten gespyset. Als sie aber von dannen schiede und ieren weg volbracht, wider haim in ir hus kerend, bat sie die feldmus, mit ir zegaun, und das mal ouch mit ir ze niemen. Das beschach, und giengen mit ainander in ain schön herlich hus, in ainen keller, dar inn aller hand spys behalten was. Die zöget die mus der mus und sprach: Fründ, nun bruch diser guoten spys nach dynem willen; deren hab ich täglich überflüßig. Als sy aber mangerlay spys genoßen hetten, do kam der keller ylend geloffen und rumpelt an der tür. Die müs erschrakent und wurden fliehen, die husmus in ir erkantes loch; aber der feldmus warend die löcher unerkant und wiste nit ze fliehen, wann allain die wend uff und ab ze louffen, und hette sich ieres lebens verwegen. Do aber der schaffner uß dem keller kam und die tür beschloßen hett, sprach die husmus zuo der andern: Warum betrübst du dich selber mit dynem fliehen, lieber fründ? Laß uns eßen und wol leben mit der guoten spys, wann hie ist kain sorg; fürcht dir nit, sonder biß wol gemuot. Antwürt die feldmus: Behalt dir dyne spys, bruch sie nach dynem willen; wann du hast weder sorg noch angst, dich bekümern ouch die täglich trübseli nit; so leb ich wol und mäßlich uff dem acker, frölich zuo allen dingen, kain sorg bekrenket mich, kain trübsäli des lybes, so bist du allweg sorgfältig, und haust kain sicherhait; dir synt allweg fallen gericht, dich ze fahen, die kaczen durchächten dich zuo allen zyten, und bist iere spys on widerstand, und von menglichem gehaßet. Dise fabel straffet die lüt, die sich zuo andern höhern menschen gesellent, daz sie etwas von inen erlangen mügen, das in doch von dem gelükrad nicht bescheret ist. Darumb söllent die menschen das gemachsam ruowig leben erwelen umb merer sicherhait in ieren armen hüslin ze behalten, und nit begeren daz ieren naturen nit zuo gehört noch gewonlich ist.

## 15. Fabula xv de corvo et vulpe.

Qui se laudari gaudent verbis subdolis decepti penitent. De quo hec est fabula. Cum de fenestra corvus caseum raperet, alta consedit in arbore. Vulpes, ut hunc vidit, caseum habere cupiens subdolis verbis sic eum alloquitur: O corve, quis similis tibi, et pennarum tuarum qualis est nitor, qualis esset decor tuus, si vocem habuisses claram, nulla tibi prior avis fuisset. At illa vana laude gaudens dum placere vult et vocem ostendere validius clamavit, et ore aperto oblitus casei ipsum deiecit. Quem vulpes dolosa celerius rapuit et avidis suis dentibus abrodit. Tunc corvus ingemuit, ac vana laude deceptus penituit, sed post factum quid penitet. Monet autem hec fabula cunctos verbis subdolis vaneque laudantibus non attendere.

*Die xv fabel von dem rappen mit dem käs und fuchsen.*

Welche den schmaichern und den liebkallern gerent ierer wort ufflosen, die werdent betrogen, und rüwig darum syn, als dise fabel ußwyset. Ain rapp nam ainen käs in ainem fenster und füret in uf ainen hohen boum. Do das ain fuchs ersach, ward er des käs begirig, und sprach im zuo schmaichend mit lobworten: O rapp, welher ist dir gelych! Nun hat doch kain vogel sölichen schyn der federn als du hast. Kain zierlicher vogel möchte erfunden werden, wann du nun ain stimm hettest, dyner schöny gelyche; aber dyne stimm ist ze grob. Der rapp fröwet sich des üppigen falschen lobes und wolt sich gefälliger machen und syn stimm größer erzaigen. Er rekt sich und schry kreftiglich. Als er aber den schnabel uf tett, enpfiel im der käs; denselben ergrif der böslistig fuchs behendiglich und fraß in. Do ward der rapp rüwig und merket erst, daz alle süße wort des fuchs in list und untrüw warent beschenhen. Darum warnet dise fabel menglich vor den schmaichern und liebkallern.

# Steinhöwel-Luther-Synopse

| Steinhöwel | Luther |
|---|---|
| 1. Hahn und Perle | 1. Hahn und Perle (Torheit) |
| 2. Wolf und Lamm | 2. Wolf und Lamm (Haß) |
| 3. Maus, Frosch und Weiher | 3. Frosch und Maus (Untreue) |
| 4. Hund und Schaf | 4. Hund und Schaf (Neid) |
| 5. Hund und Fleisch | 5. Hund und Fleisch (Geiz) |
| 6. Löwe, Rind, Geiß und Schaf | 6. Löwe, Rind, Ziege und Schaf (Frevel, Gewalt) |
| 6. Löwe, Esel und Fuchs | 7. Löwe, Fuchs und Esel |
| 7. Dieb und Sonne | 8. Dieb |
| 8. Wolf und Kranich | 9. Kranich und Wolf |
| 9. Zwei Hunde | 10. Hund und Hündin |
| 10. Mann und Schlange | 11. – fehlt – |
| 11. Esel und Wildschwein | 12. Esel und Löwe |
| 12. Zwei Mäuse | 13. Stadtmaus und Feldmaus |
| 13. Adler und Fuchs | 14. – fehlt – |
| 14. Adler, Schnecke und Krähe | 15. – fehlt – |
| 15. Rabe und Fuchs | 16. Rabe und Fuchs |
| 16. Löwe, Eber, Stier und Esel | |
| 17. Esel und Hund | |
| 18. Löwe und Maus | |
| 19. Zwei Weiher | |
| 20. Schwalbe und andere Vögel | |

# Luthers Übersetzung
# alttestamentlicher Fabeln

# Die Fabel Jothams

(Richter 9,6-15)

⁶Vnd es versamleten sich alle menner von Sichem, vnd das gantze haus Millo giengen hyn vnd machten Abi Melech zum könige, bey den geraden eychen, die zu Sichem stehen.

⁷Da das angesagt wart dem Jotham, gieng er hyn vnd tratt auff die höhe des bergis Grisim, vnd hub auff seyne stym, rieff vnd sprach Horet mich yhr menner zu Sichem, das euch Gott auch höre. ⁸Die bewme giengen hyn das sie eynen könig vber sich salbeten vnd sprachen zum ölebaum, sey vnser könig. ⁹Aber der ölebaum antwortet yhn, Soll ich meyn fettikeyt lassen, die beyde Gott vnd menschen an myr preysen, vnd hyn gehen das ich schwebe vber die bewme? ¹⁰Da sprachen die bewme zum feygenbaum, kom du vnd sey eyn könig vber vns, ¹¹Aber der feygenbaum sprach zu yhn. Soll ich meyne sussikeyt vnd meyne gutte früchte lassen, vnd hyn gehen, das ich über den bewmen schwebe? ¹²Da sprachen die bewme zum weynstock, kom du vnd sey vnser könig. ¹³Aber der weynstock sprach zu yhnen. Soll ich meynen most lassen der gott vnd menschen frolich macht, vnd hyn gehen das ich vber den bewmen schwebe? ¹⁴Da sprachen alle bewme zum dornpusch, kom du und sey könig vber vns. ¹⁵Vnd der dornpusch sprach zu den bewmen, Jsts war, das yhr mich zum könige salbet vber euch, so kompt vnd vertrawet euch unter meynen schatten. Wo nicht, so gehe feur aus dem dornpusch vnd verzehre die cedern Libanon.

# Die Fabel des Joas

(2. Könige 14,8-12)

[8]Da sandte Amazja Boten zu Joas dem son Joahas des sons Jehu dem könige Jsrael, vnd lies jm sagen, Kom her, las vns mit einander besehen.[1] Aber Joas der könig Jsrael sandte zu Amazja dem könige Juda, vnd lies jm sagen, Der Dornstrauch der in Libanon ist, sandte zum Cedern im Libanon, vnd lies jm sagen, Gib deine Tochter meinem Son zum weib. Aber das Wild auff dem felde im Libanon, lieff vber den Dornstrauch vnd[2] [zertrat ihn. [10]Du] hast die Edomiter geschlagen, des erhebt sich dein hertz, habe den rhum vnd bleyb daheymen, warumb ringestu nach vngluck das du fallest vnd Juda mit dyr?

[11]Aber Amazia gehorchet nicht, Da zoch Joas der konig Jsrael erauff, vnd sie besahen sich miteynander, er vnd Amazia der konig Juda zu Beth-Semes die ynn Juda ligt. [12]Aber Juda ward geschlagen fur Jsrael, das eyn iglicher floh ynn seyne hutten,

[1] miteinander fechten, die Kräfte im Kampf messen.  [2] hier fehlt in der WA und muß ergänzt werden: zertrat ihn. [10]Du.

11  Lukas Cranach d. Ä., *David und Bathseba.* 1535.

# Die Fabel vom geraubten Schäfchen

## (2. Samuel 12,1-15)

Vnd der herr sandte Nathan zu Dauid. Da der zu yhm kam. sprach er zu yhm·, Es waren zween menner ynn eyner stad· eyner reich der ander arm. Der reich hatte seer viel schaff vnd rinder, aber der arme hatte nichts denn eyn eynigs kleyns schefflin das er taufft hatte vnd er neeret es das es gros wart bey yhm vnd bey seynen kindern zu gleich. Es aſß von seynen bissen vnd tranck von seynem becher vnd schlieff ynn seynem schos. vnd er hielts wie eyn tochter. Da aber dem reichen man eyn gast kam· schonet er zu nemen von seynen schaffen vnd rindern das er dem gast ettwas zu richten der zu yhm komen war vnd nam das schaff des armen mans vnd richtet zü dem man der zu yhm komen war.

Da ergrymmet Dauid mit grossen zorn widder den man vnd sprach zu Nathan· so war der herr lebt.   der man ist eyn kind des todts der das than hat.   Datzu soll er das schaff vierfeltig bezalen. darumb das er solchs than vnd nicht geschonet hat.   Da sprach Nathan zu Dauid Du bist der man. So spricht der herr der Gott Jsrael. Ich habe dich zum konige gesalbet vber Jsrael · vnd hab dich erredtet aus der hand Saul. vnd hab dyr deyns herrn haus geben datzu seyne weyber ynn deynen schos, vnd habe dyr das haus Jsrael vnd Juda geben. Vnd ist das zu wenig. will ich noch dis vnd das datzu thun, Warumb hastu denn das wortt des herrn veracht. das du solchs vbel fur seynen augen thettist? Urian den Hethiter hastu erschlagen mit dem schwerd, seyn weyb hastu dyr zum weybe genomen, yhn aber hastu erwurget mit dem schwerd der kinder Ammon.

Nu so soll von deynem hauße das schwerd nicht lassen ewiglich, darumb, das du mich verachtet hast· vnd das weyb Uria des Hethiters genomen hast· das sie deyn weyb sey, So spricht der herr· Sihe· ich will vngluck vber dich erwercken aus deynem eygen hauße·, vnd will deyne weyber nemen fur deynen augen vnd will sie deynem nehisten geben. das er bey deynen weybern schlaffen soll an der hellen sonnen, Denn du hasts heymlich gethan, ich aber will diß thun fur dem gantzen Jsrael vnd an der sonnen.

Da sprach Dauid zu Nathan· Ich hab gesundiget widder den herrn. Nathan sprach zu Dauid.   So hatt auch der herr deyne sund weg genomen. du wirst nicht sterben. Aber weyl du die feynde des herrn hast dürch diße geschicht lestern gemacht. wirt der son der dyr geporn ist. des tods sterben . . Vnd Nathan gieng heym.

# Das Weinberglied

## (Jesaja 5,1-7)

[1]WOlan, Jch wil meinem Lieben ein Lied meines Vettern singen, von seinem Weinberge.

MEin Lieber hat einen Weinberg, an einem fetten Ort. [2]Vnd er hat jn verzeunet, vnd mit Steinhauffen verwaret, vnd edle Reben drein gesenckt. Er bawete auch einen Thurm drinnen, vnd grub eine Kelter drein. Vnd wartet das er Drauben brechte, Aber er brachte Heerlinge[1]. [3]Nu richet jr bürger zu Jerusalem, vnd jr menner Juda, zwischen mir vnd meinem Weinberge. [4]Was solt man doch mehr thun, an meinem Weinberge, das ich nicht gethan habe an jm? Warumb hat er denn Heerlinge gebracht, da ich wartet das er Drauben brechte.

12 *Weinberg*

[5]WOlan, ich wil euch zeigen, was ich meinem Weinberge thun wil. Seine Wand sol weggenomen werden, das er verwüstet werde, vnd sein Zaun sol zurissen werden, das er zutretten werde. [6]Jch wil jn wüste ligen lassen, das er nicht geschnitten noch gehackt werde, Sondern Disteln vnd Dornen drauff wachsen, Vnd wil den Wolcken gebieten, das sie nicht drauff regenen. [7]Des HERRN Zebaoth Weinberg aber ist das haus Jsrael, und die menner Juda seine zarte Feser[2]. Er wartet auff Recht, Sihe, so ists schinderey, Auff Gerechtigkeit, Sihe, so ists Klage.

[1] Trauben, die nicht reif werden.   [2] Pflanzung.

# Luthers Fabeln

# Löwe und Esel

*Ein newe fabel Esopi, newlich verdeudscht gefunden,*
*vom Lawen und Esel.*

DEr alte lawe ward kranck und foddert alle thier zu sich, seinen letzsten reichstag zuhalten und seinen erben, den iungen lawen, an seine stat zum könige zusetzen. Die thier kamen gehorsamlich, namen des alten lawen letzen willen an, Als aber der allte lewe starb und herrlich bestattet ward, wie sichs eim könige gebürt, thetten sich etlich untrew, falsche rethe des alten königs erfür, welchen doch der alte könig viel guts gethan und zu grossen ehren geholffen hatte, die suchten nu ein freyes leben zuhaben und nach yhrem gefallen ym reich zu regieren und wolten keinen lewen mehr zum könige haben und sprachen auch: ›Nolumus hunc regnare super nos‹[1], zeigten an, wie ein grawsam regiment die lewen bisher gefürt hetten, wie sie die unschüldigen thier zurissen und fressen, das niemand sicher für yhn sein kündte, wie es denn zugeschehen pflegt, das man alles guten schweigt und allein das ergest redet von den öberherrn.

Es ward aus solcher rede ein gros gemürmel unter allen stenden des reichs, etliche wolten den iungen lewen behalten, Aber das mehrerteil wolten ein andern auch versüchen, Zuletzt foddert man sie zusamen, das man nach der meisten volwort welen solt und die sachen stellen, Da hatten die falschen, untrew rethe den fuchs zum redener gemacht, der das wort thun solt fur des reichs stenden und seine instruction und unterricht gegeben, wie er solt den Esel furschlahen, Es war zum ersten zwar dem fuchs selbs lecherlich, das ein esel solt könig sein, Aber da er höret yhr bedencken, wie frey sie kündten unter dem Esel leben und möchten yhn regieren, wie sie wolten, lies yhm der schalck solchs gefallen und halff trewlich dazu, fasset die sach, wie er sie wolt hübsch fürbringen.

85

Und trat auff fur des reichs stenden, rüspert sich und hies stilschweigen, fing an zu reden von des reichs not und schweren sachen, treyb aber die gantze rede dahin, das der könige schuld gewest were und macht das lewen geschlecht so zu nicht, das der hauffe gantz abfiel, Da aber ein grosser zweifel ward, welches thier zuwelen sein solt, hies er abermal schweigen und hören und gab des esels geschlecht für und bracht wol eine stunde zu uber dem esel loben, wie der esel nicht stoltz noch tyrannisch were, thet viel erbeit, were gedültig und demütig, lies ein ander thier auch etwas sein und stünde nicht viel zuhalten, were auch nicht grawsam, fresse die thier nicht, lies yhm an geringer ehre und zinse benügen, Als nu der fuchs mercket, das solchs den pöfel kützelt und wol gefiel, da thet er den rechten zusatz und sprach: Uber das, lieben herrn, haben wir zubedencken, das er villeicht auch von Gott dazu verordent und geschaffen sey, das künd man wol daran mercken, das er ein creutz ewiglich auff dem rücken tregt.

Da der fuchs des creutzs gedacht, entsatzten sich dafur alle stende des reichs, fielen zu mit grossem schall: Nu haben wir den rechten könig funden, welcher kan beide, weltlich und geistlich regiment, verwesen, Da preiset ein iglicher etwas am esel, Einer sprach, Er hette feine lange ohren, die weren gut zum beicht höre, Der ander sagt, Er hette auch eine gute stymme, die wol töchte ynn die kirchen zu predigen und zu singen, Da war nichts am gantzen esel, das nicht königlicher und Bepstlicher ehren werd were, Aber fur allen andern tügenden leuchtet das creutze auff dem rücken, Also ward der Esel zum könige unter den thieren erwelet.

Der arme iunge lewe gieng elende und betrübt als ein verstossen wayse aus seinem erblichen reich, Bis das sich etliche alte trew frome rethe, den solcher handel leyd war, sein erbarmeten, Und besprachen sich, wie es ein lesterliche untugent were, das man den iungen könig so schendlich solte lassen verstossen sein, Sein vater hette solchs nicht umb sie verdienet, Es müste auch nicht gehen ym reich, wie der fuchs und

13 *Papstesel*

seine gesellen wolten, die yhren mutwillen und nicht des reichs ehre suchten, Sie ermanneten sich und baten die reichs- stende zusamen, sie hetten etwas nötigs furzubringen, Da trat der eltest auff, das war ein alter Hund, ein trewer rad des alten lewens, und erzelet mit schöner rede, wie solche wahl des Esels were zu iach und ubereilet und dem lewen grosses unrecht geschehen, Es müste nicht alles golt sein, was da gleisset, Der Esel, ob er schön das creutz auff dem rücken trüge, kündte wol ein schein und nichts dahinden sein, wie alle welt durchs gleissen und guten schein betrogen wird, Der lewe hette seiner tugent viel mit der that beweiset, der esel aber hette keine that beweiset, Darümb sie solten wol zuse- hen, das sie nicht einen könig erweleten, der nicht mehr denn ein geschnitzt bilde were, welchs auch wol ein creutz tragen kündte, Und wo ein krieg sich erhübe, wüsten sie nicht, was sie das eitel creutz helffen künd, wo nicht mehr dahinden were.

Solche ernste, dapffer rede des hundes bewegte Er omnes, Dem fuchs und den untrewen rheten ward bange, gaben fur, Was ym reich beschlossen were, solt bleiben, Aber es bewegt gleich wol den hauffen, das der Esel nie nichts mit der that beweiset hette und möcht das creutz sie wol betrogen haben und kundten doch mit der walh nicht zurücke, Endlich, da der hund auff die that und auff den falschen schein des creutzs so hart drang, ward durch seinen furschlag bewilligt, das der esel solte mit dem lewen umb das reich kempffen, Welcher gewünne, der solt konig sein, Sie kundtens ytzt nicht anders machen, weil die walh ym reich geschehen were. Da kreig der iunge lewe widder ein hertz und alle frome unterthan grosse hoffnung, Aber der fuchs hieng den schwantz mit seinen ge- sellen, versahen sich nicht viel ritterlichs kampffs zu yhrem newen könige, Es wolte denn fartzens gelten odder distel fres- sens, Der kampfftag ward bestympt und kamen alle thier auff den platz, Der fuchs hielt fest bey dem Esel, der hund bey dem lawen.

Den kampff lies der esel den lewen welen, Der lawe sprach: Wolan, Es gilt, wer uber diesen bach springet, das er keinen fuss nass machet, der sol gewonnen haben, Es war aber ein grosser bach, der lewe holet aus, sprang uberhin, wie ein vogel uberhin flöge, Der esel und fuchs dachten: Wolan wir sind zuvor auch nicht könige gewest, Wogen gewinnet, wogen verleuret, Er must springen Und sprang platzsch mitten ynn den bach, wie ein bloch hinein fiele, Da sprang der lewe herümb am ufer und sprach: Ich meyne ia, der fuss sey nass. Aber nu sihe doch, was glück und list vermag, Dem Esel hatte sich ein klein fischlin ym ohre unter dem wasser verwirret und verfangen, Als nu der Esel aus dem bach kroch, und die thier sich des sprungs wol zulacht hatten, sihet der fuchs, das der Esel den fisch aus dem ohre schüttelt und hebt an und spricht: Nu schweigt und höret.

Wo sind sie nu, die das creutze verachten, das es keine that künne beweisen? Mein herr könig Esel spricht, Er hette auch wol wollen uber den bach springen, Aber das were yhm eine schlechte kunst gewest, seins creutzs tugent zubeweisen, so es der lewe und ander thier wol on creutze thun, Sondern er sahe ym sprunge ein fischlin ym bach, da spranck er nach, und das seins creutzs wunder deste grösser were, wolt ers nicht mit dem maul oder pfoten, sondern mit den ohren fahen, Solches last den lewen auch thun, und sey darnach könig, Aber ich halt, er solt mit maul und allen vieren klawen nicht einen fisch fahen, wenn er gleich darnach gienge, schweige denn, wenn er sprünge, Der fuchs macht mit solchem geschwetz abermal ein getümel, und das Creutz wolt schlecht gewinnen. Den hund verdros das glück ubel, aber viel mehr, das der falsche fuchs mit seinem fuchschwentzen den hauffen also narrete, fieng an zu bellen, es were schlumps[2] also geraten und kein wunder, Damit aber nicht ein auffrur wurde durch das gebeysse des fuchs und hunds, wards fur gut angesehen, das der lewe und esel alleine an einen ort giengen und daselbst kempffeten.

14  *Esel als König*

Sie zogen hin zu einem holtz yns reichs geleit und fride. Es gilt, sprach der lawe, Welcher das behendeste thier fehet. Und er lieff zum holtze hinein und iagt, bis er einen hasen fehet, Der faule Esel dacht: Es wil mich das reich zuviel mühe kosten, solt wol keinen fride haben mit der weise, legt sich auff den platz nidder ynn der sonnen und lechet mit der zungen eraus fur grosser hitze, So kömpt ein rabe und meynet, Es sey ein ass, setzt sich auff seine lippen und wil essen, Da schnapt der Esel zu und fehet den raben, Da nu der lewe kömpt frölich gelauffen mit seinem hasen, findet er den raben yns esels maul und erschrickt, kurtz, Es war verloren, und begynnet yhm nu selbs zu grawen fur dem creutz des Esels, Doch verlies er das reich nicht gerne und sprach: Lieber Esel, Es gilt noch eines umb guter gesellen willen, aller guten ding sollen drey sein, Der Esel thets wol die helfft aus furcht, weil er allein mit yhm war und nam es an.

Der lewe sprach: Jensid dem berge ligt eine müle, Wer am ersten dahin kömpt, sol gewonnen haben, Wiltu unden hin odder uber den berg lauffen? Der Esel sprach: lauff du uber den berg, Der law, als ym letzten kampff, lieff, was er leibs lauffen kundte, Der Esel bleyb still stehen und dacht: Ich werde doch zum spot und mache mir müde beyne, so ich lauffe, so mercke ich wol, der lewe günnet mir doch der ehre nicht, so wil ich auch nicht umb sonst erbeiten, Als der lewe uber den berg kömpt, so sihet er einen Esel fur der müllen stehen, Ey, spricht er, hat dich der Teuffel bereit her gefüret, Wolan, noch ein mal zurück an unsern ort, Da er aber widderüber kömpt, sihet er den Esel aber da stehen, Zum dritten mal auch sprach er: Widder zur mülen, Da sihet er zum dritten mal den Esel da stehen, Und must dem Esel gewonnen geben und bekennen, das mit dem Creutz nicht zuschertzen ist, Also bleyb der Esel könig und regiret sein geschlecht bis auff diesen tag gewaltiglich ynn der welt unter den THIEREN.

[1] Wir wollen nicht, daß dieser über uns regiert.   [2] unversehens, zufällig.

91

# Vom Paradiesgarten

*Luthers Brief an seinen Sohn Hans*

Meinem hertzlieben Son Hensichen Luther    zw Wittemberg

G. vnd f. in Christo! Mein hertzlieber Son, Ich sehe gern, das du wol lernest vnd vleissig bettest. Thue also, mein Son, vnd fhare fort. Wenn ich heim kome, so wil ich dir ein schon Jarmarckt mit bringen. Ich weis ein hubschen, schonen lustigen Garten. Da gehen viel Kinder jnnen, haben guldene Rocklin an vnd lesen schone Öpffel unter den Beumen vnd Birnen, Kirsschen, spilling vnd pflaumen, singen, springen vnd sind frolich. Haben auch schone kleine Pferdlin mit gulden zeumen vnd silbern Setteln. Da fragt ich den Man, des der Garten ist, Wes die Kinder weren? Da sprach er: Es sind die Kinder, die gern beten, lernen vnd from sein. Da sprach ich: Lieber Man, Ich hab auch einen Son, heisst Hensichen Luther, Mocht er nicht auch in den Garten komen, das er auch solche schone Opffel vnd Birne essen mochte vnd solche feine Pferdlin reiten vnd mit diesen Kindern spielen? Da sprach der Man: Wenn Er gerne bettet, lernet vnd from ist, So sol er auch in den Garten komen. Lippus vnd Jost auch. Vnd wenn sie allzusamen komen, so werden sie auch pfeiffen, Paucken, lauten vnd allerley andere Seitespiel haben, auch tantzen vnd mit kleinen Armbrüsten schiessen. Vnd er zeigt mir dort eine feine wiesen im Garten, zu tantzen zugericht, da hiengen eitel guldene pfeiffen vnd Paucken vnd feine silberne Armbruste. Aber es war noch frue, das die Kinder noch nicht gessen hatten, darumb kundte ich des Tantzes nicht erharren, vnd sprach zu dem Man: Ah, lieber HErr, Ich wil flux hingehen vnd das alles meinem lieben Son Hensichen schreiben, das er ia vleissig lerne, wol bete vnd from sey, auff das Er auch in diesen Garten kome. Aber er hat eine Müme Lene, die mus er mit bringen. Da sprach der Man: Es sol ia sein, Gehe hin vnd schreibs im also.

Darumb, lieber Son Hensichen, lerne vnd bete ia getrost vnd sage es Lippus vnd Justen auch, das sie auch lernen vnd beten, So werdet ir mit ein ander in den Garten komen. Hie mit bis dem lieben Gott befolhen vnd grusse Mume Lenen vnd gib ir einen Bus[1] von meinet wegen. Dein lieber Vater Martinus Luther.

[1] Kuß.

# Vom Reichstag der Dohlen und Krähen

## *Luthers Brief an die Wittenberger Tischgesellen*

Gnade und Friede in Christo! Lieben Herren und Freunde! Ich hab Euer aller Schreiben empfangen und, wie es allenthalben zustehet, vernommen. Auf daß Ihr wiederumb vernehmet, wie es hie zustehet, füge ich Euch zu wissen, daß wir, nämlich ich, Magister Veit und Cyriacus, nicht auf den Reichstag gen Augsburg ziehen: wir sind aber sonst wohl auf einen andern Reichstag kommen.

Es ist ein Rubet gleich für unserm Fenster hinunter, wie ein kleiner Wald, da haben die Dohlen und Krähen einen Reichstag hingelegt; da ist ein solch Zu- und Abreiten, ein solch Geschrei Tag und Nacht ohne Aufhören, als wären sie alle trunken, voll und toll; da keckt Jung und Alt durch einander, daß mich wundert, wie Stimm und Odem so lang währen möge. Und möcht gerne wissen, ob auch solches Adels und reisigen Zeugs auch etliche noch bei Euch wären; mich dünkt, sie seien aus aller Welt hieher versammlet.

Ich hab ihren Kaiser noch nicht gesehen, aber sonst schweben und schwänzen der Adel und großen Hansen immer für unsern Augen: nicht fast köstlich gekleidet, sondern einfältig in einerlei Farbe, alle gleich schwarz, und alle gleich grauaugig; singen alle gleich einen Gesang, doch mit lieblichem Unterscheid der Jungen und der Alten, Großen und Kleinen. Sie achten auch nicht der großen Palast und Saal, denn ihr Saal ist gewölbet mit dem schönen weiten Himmel, ihr Boden ist eitel Feld, getäfelt mit hübschen grünen Zweigen, so sind die Wände so weit als der Welt Ende. Sie fragen auch nichts nach Rossen und Harnisch, sie haben gefiederte Räder, damit sie auch den Büchsen empfliehen und eim Zorn entsitzen[1] können.

Es sind große, mächtige Herren: was sie aber beschlie-

15 *Taube und Krähe*

ßen, weiß ich noch nicht. So viel ich aber von einem Dolmetscher habe vernommen, haben sie für einen gewaltigen Zug und Streit wider Weizen, Gersten, Hafern, Malz und allerlei Korn und Getreidig, und wird mancher Ritter hie werden und große Taten tun.

Also sitzen wir hie im Reichstag, hören und sehen zu mit großer Lust und Liebe, wie die Fürsten und Herrn sampt andern Ständen des Reichs so fröhlich singen und wohlleben. Aber sonderliche Freude haben wir, wenn wir sehen, wie ritterlich sie schwänzen, den Schnabel wischen und die Wehr stürzen, daß sie siegen und Ehre einlegen wider Korn und Malz. Wir wünschen ihnen Glück und Heil, daß sie allzumal an einen Zaunstecken gespießet wären.

Ich halt aber, es sei nichts anders denn die Sophisten und Papisten mit ihrem Predigen und Schreiben, die muß ich alle auf eim Haufen also für mir haben, auf daß ich höre ihre liebliche Stimme und Predigten und sehe, wie sehr nützlich

95

Volk es ist, alles zu verzehren, was auf Erden, und dafür kek-
ken für die lange Weil.

Heute haben wir die erste Nachtigall gehöret; denn sie hat
dem April nicht wöllen trauen. Es ist bisher eitel köstlich
Wetter gewest, hat noch nie geregnet, ohne gestern ein wenig.
Bei Euch wird's vielleicht anders sein. Hiemit Gott befohlen,
und haltet wohl Haus. Aus dem Reichstag der Malztürken,
den 28. Apr., Anno 1530.

Martinus Luther, D.

[1] standhalten.

# Die Klageschrift der Vögel

*Luthers Brief an seinen Diener Wolfgang Sieberger*

Eine Schrifft oder Klage der Vogel an D. Martinum Luthern
uber Wolffgang Siberger seinen Diener.

Unserm gunstigen Herrn Doctori Martino Luther,
Prediger zu Witenberg.

Diesen Brieff hat d. Mart. Luther selber gestellet und geschrieben, seinen Diener Wolffgang damit zu plagen und zu
spotten, seines zugerichten Vogelheerds halben zu Witenberg.

WJr Drosseln, Amseln, Fincken, Henffling, Stiglitzen,
sampt andern fromen, erbarn Vogeln, so diesen Herbst uber
Witenberg reisen sollen, fügen ewer Liebe zu wissen, wie wir
gleublich berichtet werden, das einer genant Wolffgang Siberger, ewer Diener, sich unterstanden habe einer grossen
frevenlicher turst[1] und etliche alte verdorbene Netze aus
grossem zorn und hass uber uns tewer gekaufft, damit einen
Finckenherd anzurichten, Und nicht allein unsern lieben
Freunden und Fincken, sondern auch uns allen die freiheit,
zufliehen in der lufft und auff erden körnlin zu lesen, von
Gott uns gegeben, zu wehren furnimet[2], Dazu uns nach unserem leib und leben stellet, so wir doch gegen jm gar nichts
verschuldet noch solche ernstliche und geschwinde turst[3]
umb jn verdienet. Weil denn das alles, wie jr selbs könt bedencken, uns armen freien Vogeln (so zuvor weder Scheune
noch Heuser noch etwas drinnen haben) eine fehrliche und
grosse beschwerung, ist an euch unser demütige und freundliche bitte, jr wollet ewern Diener von solcher turst weisen
oder, wo das nicht sein kan, doch jn dahin halten, das er
uns des abends zuvor strawe körner auff den Herd

und morgens fur acht uhr nicht auffstehe und auff den Hert
gehe, so wollen wir denn unsern Zug uber Witenberg hin nemen. Wird er das nicht thun, sondern uns also frevenlich nach
unserm leben stehen, so wollen wir Gott bitten, das er jme
stewere und er des tages auff dem Herde Frösche, Hew-
schrecken und Schnecken an unser stat fahe und zu nacht von
Meusen, Flöhen, Leusen, Wantzen uberzogen werde, damit
er unser vergesse und den freien flug uns nicht wehre. Wo-
rumb gebraucht er solchen zorn und ernst nicht wider die
Sperling, Schwalben, Elstern, Dolen, Raben, Meuse und Rat-
ten, welche euch doch viel leids thun, stelen und rauben und
auch aus den Heusern Korn, Hafern, Maltz, Gersten etc. end-
tragen[4], welchs wir nicht thun, sondern allein das kleine
bröckelin und einzeln verfallen[5] körnlin suchen. Wir stellen
solche unsere sachen auff rechtmessige vernunfft, ob uns von
jm nicht mit unrecht so hart wird nachgestellet. wir hoffen
aber zu Gott, weil unser Brüder und Freunde so viel diesen

16 *Vogelherd*

Herbst fur jme blieben und jm entflohen sind, wir wollen auch seinen losen und faulen[6] Netzen, so wir gestern gesehen, entfliehen. Gegeben in unserm Himlischen sitz unter den Beumen, unter unserm gewönlichen Sigel und Feddern.

Sehet die Vogel unter dem Himel an, sie seen nicht, sie erndten nicht, sie samlen nicht in die Schewren, und ewer Himlischer Vater neeret sie doch. Seid jr denn nicht viel mehr denn sie? Matth. 6.

[1] Willkür. [2] plant. [3] böse Willkür. [4] forttragen. [5] bei Seite gefallene. [6] verfaulten, unbrauchbaren.

# Der Abgott Sauf

Es mus aber ein jglich land seinen eigen Teufel haben, Welschland seinen, Franckreich seinen. Unser Deudscher Teufel wird ein guter weinschlauch sein und mus Sauff heissen, das er so dürstig und hellig ist, der mit so grossem sauffen weins und biers nicht kan gekület werden. Und wird solcher ewiger durst und Deudschlands plage bleiben (hab ich sorge), bis an den Jüngsten tag. Es haben gewehret Prediger mit Gottes wort, Herrschafften mit verbot, der Adel etliche selbs unternander mit verpflichten. Es haben gewehret und wehren noch teglich gros grewliche schaden, schande, mord und alles unglück, so an leib und seele geschehen fur augen, die uns billich solten abschrecken. Aber der Sauff bleibt ein allmechtiger Abgott bey uns Deudschen und thut wie das Meer und die Wassersucht. Das Meer wird nicht vol von so viel wassern, die drein fliessen, Die Wassersucht wird von trincken dürstiger und erger. Syrach spricht, Der wein sey geschaffen (wie auch der hundert und vierde Psalm sagt), das der mensch

17  *Lukas Cranach d. Ä., Drei Kurfürsten von Sachsen: Friedrich der Weise, Johann der Beständige, Johann Friedrich der Großmütige.*
*1532-1535.*

frölich davon werde und das leben stercke. So macht der Sauff uns toll und thöricht damit, schencket uns den tod und allerley seuche und sunde damit ein. Nu, es ist hie nicht zeit noch raum von dem sewischen Abgott Sauff zu reden. Er bezalet zwar seine trewe diener zu letzt auch gar redlich, das sie es fülen.

# Der Brühschenk

Ich habe offt von Keiser Fridrich dem dritten hören sagen, wie den Fürsten im Reich sein haushalten nicht gefallen und geklagt haben, das er zu Hofe habe lassen regirn den Brüheschencken. Darauff habe er ein mal geantwort: Ja, Es ist gewislich jr keiner, Er hat auch einen Brüheschencken an seinem Hofe. Man merckt aus dem und andern stücken viel, das dem selben Keiser Fridrich warlich an Weisheit, vernunfft und macht nicht gefeilet hat, Aber der mut und gedancken, die es thun solten, waren jm von Gott nicht gegeben. Were er ein Mathiaske gewesen, der hette Brühe schencken mit frue und abend schencken auff einen hauffen gestossen und were jm dennoch hinaus gegangen. Darumb, weil er der Wunderman nicht war, der einen newen Peltz machen kundte, muste er an dem alten bösen Peltze flicken und pletzen, so viel er kundte, das ander lassen gehen und Gotte lassen machen.

# Der Knecht mit den drei Amseln

Also im haushalten, wenn knechte und megde thun, was sie gut dunckt, lassen aber anstehen, was man sie heisst, wollen dennoch wolgethan haben. Die selben zieren ein haus fein und ist gantz ein nützlich, holdselig gesinde. Ja, wie der knecht mit den dreien Amslen, Davon man sagt, Wie sein herr jn aussendet, die verlorne kue zu suchen, Und er so lange aussen bleib, das sein herr jm nach leufft zu sehen, wo er bleibt. Als er fast nahe zu jm kompt, fragt er den knecht: Hastu di kue funden? Nein, sprach der knecht, sondern ich habe ein bessers funden. Was hastu denn funden? Der knecht sprach: Drey Amseln. Wo hastu sie denn? Der knecht sprach: Eine sehe ich, die ander höre ich, die dritte jage ich. Ist das nicht ein kluger, vleissiger knecht? Solt ein hausherr mit solchem gesinde nicht reich werden?

18 *Bauer und die Dohlen*

# Das Kätzchen Adulatio

Die Heiden sagen von jrem Hercule (der jr David gewest), das er sich habe lassen zu letzt die weiber nerren. Eine hat jm den Schleier auffgesetzt, die ander den Rocken und Spindel jnn die hand gegeben, Und er hat müssen spinnen fur grosser liebe. Nu, man mus wol gleuben, das solche hohe Fürsten wie David uber der Bersabee [Bethsabee] jnn frawen liebe zu narren werden. Aber das gleube ich nicht, das er gesponnen habe, Sondern die Poeten und vernünfftige leute haben solches gemalet und gebessert mit worten, das wenn einen weidlichen Fürsten oder Man sonst kein ungehewr wunder kan uberteuben, und wenn er alle feinde umb und umb uberwunden hat (wie Hercules), So kan er doch zu letzt den hausteufel, den einheimischen feind, nicht uberwinden, Sondern das trawte frewlin und schöne königin Omphale mit jrem schönen angesicht und glaten zungen setzet dem theuren Herculi den schleier auff und heisset jn spinnen. Da sitzt denn der hohe siegman, der alle Lewen zurissen, den hellischen hund

19 *Lukas Cranach d. Ä., Herkules bei Omphale.* 1535

gefangen, die Centauros und Lapithas geschlagen, den Drachen erwürget, und was sie mehr von jm wunder schreiben,
Da sitzt er nu (sag ich) und lesst seine keule fallen, nimpt die
spindel jnn die hand, Und seine schöne Omphale drawet jm
mit der ruten, wo er nicht recht spinnet.

Damit haben die Poeten das schöne Ketzlin, genant Adulatio, gemalet zu Hofe, das den Fürsten und Herrn auff dem
maule trumpelt und heisst sie thun, was sie wil haben, Doch
mit solcher schönen gestalt und mit solchen lieblichen reden,
das der liebe Hercules meinet, es sey der Engel Gottes, und er
selbs nicht werd, solch schön frewlin, als die Omphale ist, zu
haben, und wird jr williger, unterthebiger diener,

# Vom Frosch, der sich wie ein Ochse aufbläst

WAs hat diese tugent zu Hofe zu schicken? oder wo kompt solchs unleidlich laster gen Hofe? das der König David schreiet, Er könne nicht leiden, das jemand stoltz und hohmütig sey. Ja, wo solt sonst solch kreutlin wachsen on jn den Regimenten, da gros gewalt, ehre, gut und freundschafft ist? Es ist wol zu weilen ein betler auch stoltz und hohmütig. Aber dafur fürchtet sich niemand, Sondern jederman lachet sein und spricht: Arm hoffart, da wisschet der Teufel seinen hindern an, Und ob sie wol fast drücket, so kan sie doch nichts machen, denn sie hat nichts im bauche. Davon sagt Esopus, wie der frosch sich auffbleset und wil so gros sein als der ochse. Aber das junge fröschlin sagt: Nein, liebe mutter, wenn du dich gleich zurissest und börstest. Aber David redet von ernster hoffart, die schaden thun kan und zu Hofe gemein ist, wie denn die gewaltigen, Reichen, grosse leute thun können. Und gleich wie er droben nicht vom geistlichen verleumbden oder Neidhart gered hat, Also redet er auch hie nicht vom geistlichen, sondern vom weltlichen hohmut, denn weltliche hoffart hebt sich jnn weltlichen sachen hie auff erden. Geistliche hoffart und neid mus sein im Paradis und unter den Engeln Gottes, da einer wil heiliger sein denn der ander und fallen drüber jnn abgrund der Hellen, Und folgen jnen nach die falschen Propheten und alle Rotten geister jnn der Kirchen und unter Gottes kindern.

Summa, das wir auch ein mal zum ende des Psalmen komen, Hofe stoltz oder hoffart ist nicht baur hoffart jnn kleidern, schmuck, obengehen, schwentzen und der gleichen faulen stücken, Wie wol unter den Fürsten und Herrn, Adel und Bürgern solchs jtzt auch gar uber macht ist, Und weis schier keiner, wie hoch er uber den andern gern were. Das ist aber alles eitel beurisch hoffart und beyspiel oder allegoria, Denn die pferde sind auch solcher weise stoltz und fülen jren

20 *Der aufgeblasene Frosch*

schmuck und ehre, Und wenn wirs höflich wollen nennen, So
ists Hanses hoffart, nicht des Fürsten hoffart oder Privatisch
und nicht Regimentisch hoffart. Aber Hofe stoltz und hoffart
heisst auff Griechisch Tyrannis, zu Deudsch Wütrich

# Vom Affen, der Holz spalten wollte

Jm schönen Hofpsalm welchs ist der 101. den Doctor Creutziger für die gelerteste vnnd weyseste schrifft inn Deutscher sprach hielt, gedencket der Doctor des Affen / so holtz spalten wolte / vnd des keyls vergaß / vnnd da er die Axt außzog, drüber zu schaden kam / Denn wenn sich einer frembder hendel vnterstehet / die er nicht gelernet / gehet es selten one nachtheyl abe. Er gedencket auch des Frosches so auffm heller saß / vnd sich rhümet / gelt brecht ehre. Wie er auch der Schwermer spottet / die eytel rhümen fürgaben / mit dem alten sprichwort: Rhüme dich Reuplein / dein Vatter war ein Kolwurm.

21 *Affe als König*

*So überliefert Mathesius. In seiner Auslegung des 101.*
*Psalms schreibt Luther:*

Hie fragt sichs, Sol man denn nichts lernen oder nachfolgen guten exempeln der weisen und grossen leuten? Warumb bildet man uns denn solche exempel fur? Gleich wie im geistlichen stande bildet uns die Schrifft Christum und seine Heiligen zum exempel. Antwort: O, wer nur wol kundte. Freilich sol man nach folgen guten exempeln jnn allen stenden, Aber so fern, das wir nicht zu affen werden und affen spiel treiben, Denn der affe wil alle ding nach thun und folgen. Aber es gehet jm, wie im buch der Weisen stehet, da er einen baurn hatte sehen ein gros holtz spalten, gehet er hin und setzt sich auch reitlinges drauff und spaltet mit der axt. Er hatte aber kein badhembd an und die geylen fielen jm jnn die spalten, Und vergisset einen keyl einzuschlahen, So zeucht er die axt aus, klemmet und zuquitzscht die geylhen, Das er sein lebtag ein Ongeil oder Eunuchus bleiben muste, Er hatte dennoch dem baur nachgefolget. Also gehets auch allen seines gleichen unzeitigen nachfolgern.

# Igel und Fliege

Jtem / ein grosser Herr ligt am fenster / vnd sihet ein Hofschrantzen gen Hof kommen / O wie ein grosser Dieb ist diß / spricht er zu einem der bey jm stund / Leydt jr denn solche an diensten / sagt der Rath? Wie sprach der Fuchs zum Jgel / antwort der Herr / lasset mir die satten fliegen sitzen / kommen hungerige / die saugen vnd sauffen vil herter / Es muß ein Herr vil sehen vnd hören / der mit vil leuten haußhalten soll / bißweylen findet man einen / der druckt ein Hofschwam auß / der vil wasser in sich gezogen / vnnd henckt jn an die Sonne / wie Assuerus seinem vntrewen Hamman thete / Oder mancher knüpfft jhm sein halß selber zu / wie Ahitophel / Denn vntrew trifft doch jren eygen Herrn / oder da sichs verzeucht / so zalens endlich die erben.

# Bauer und Gans

Jtem / auff ein zeyt kaufft ein Bergherr frembde gewercken
auß / vnnd wolte den genieß gar allein haben / Wie solchs vber
tisch gedacht wird / spricht der Herr Doctor: Eben so thet
jener Baur im Esopo auch / dem leget ein Ganß alle quartal ein
gülden ey / da jn aber der geytz bestund / schurfft er die Ganß
auff / da schnidt sich das Ertz mit abe / Also gehets / wenn
man sich nicht will an den gfellen genügen lassen / so Gott
ordenlich bescheret / vnd wenn der Jeger den Hunden vnd
Sperbern jr jeger recht versaget. Bauren sollen pflügen vnd
dreschen / Herrn sollen der Zinß, Zehenden vnnd Pacht warten / vnd jren armen leuten schutz halten / Pfarrner sollen
leren vnd beten / sagt D. Martin Luther / so richtet ein jeder
das seinige auß / vnd Gott spricht sein segen darzu.

# Krebs und Schlange

Unser Doctor schrieb auff ein zeyt seinem Sönlein Johanni dise fabeln für: Ein Krebs wolt vber land reisen / vnter wegen kombt er zur Schlangen / die wird sein gefert / Nun windt vnd schlingt sich die Schlang / vnnd geht die quer / vnd macht sich krumb. Der Krebs der auff vil beynen vbel zu fusse war / folget seinem schlimmen vnd vngeraden wandergesellen / vnd gehet sich aussm athem / helliget vnd mergelt sich in diser schweren reise abe / Wies abend wird / keren sie beyde vnter einen strauch ein / die Schlang legt sich in ring / vnd fehet an zu schlaffen vnnd schnarchen / Der Krebs ist müde / vnd wil kein schlaff in seine augen / vnnd thut jm das schnarchen oder zützschen wehe / vnd wil die Schlange stossen das sie still lige / Wie sie aufffert vnd will sich weren / ergreifft er sie mit seiner schere beim kopff / vnnd drückt hart zu / biß jr der athem außgehet / da streckt sie sich die lange lenge auß vnd ligt so

22 *Zwei Krebse*

todt fein gerad / Ey / sagt der Krebs / wenn du heut so gerad gangen werest / het ich auch besser volgen können.

Ach wie schwer kombt es einen an / vnnd blutleichen sawer wirds jm / wer mit krummen / schlimmen / schlipfferigen / vngeraden / zwizüngigen / falschen vnd gifftigen leuten vber land sol reysen / oder in Regimenten mit jnen rathschlagen vnd vmbgehen / oder mit gifftigen vnd falschen Predigern vnd Collegen / vnd untrewen weyb vnd gesinde haußhalten. Drum beschloß D. Luther dise fabel / Lieber Son / es ist nicht allein ein schöner schatz vmb ein guten nachbarn / sondern wenn eim Gott auch vber land vnd in seinem ampte / gute vnd gerade leut zugibt / Mit schlimmen vnd falschen kombt man schwerlich fort / vnd wird eim blut sawr. Denn ein vngerader vnd tückischer freund / ist vil erger / denn ein öffentlicher zorniger feind.

*In Luthers Tischreden findet man eine kürzere Fassung dieser Fabel:*

Fabula de cancro et serpente. Serpens typus mendacii, nam semper tortuosus est, sive eat sive cubat, sed mortuus est rectus. Quare cancer pugnans cum serpente, cum rectum videret: Si sic ires, etiam cum vivis, tum ferri poteras; sed quod gyros et volumina semper etc.[1]

Lügen. »Lügen ist allzeit gedrehet, und krümmet sich wie die Schlange, die ist nimmer gerade, sie gehe oder stehe, sondern allein wenn sie todt ist, da ist sie gerade und aufrichtig.«

[1] Die Fabel von Krebs und Schlange. Die Schlange ist das Bild der Lüge, sie ist nämlich immer gewunden, ob sie geht oder liegt, aber tot ist sie gerade. Deshalb sagte der Krebs beim Kampf mit der Schlange, als er sie gerade ausgestreckt sah: Wenn du so gingest, solange du lebst, dann wärest du zu ertragen; aber weil du immer Kreise und Windungen machst etc.

# Bauer und Schlange

Da ich vnd ander gute freund dem Herrn Philippo das gleyt
von hinnen gaben / vnd er auch mit ebentewrlichen geferten
beladen war / saget er vns im Wisenthal vber tische dise fabel.
Ein grosse Schlang verfiel sich in einer höle / vnnd schrier
jemmerlich / ein Baur kombt zum loch / fragt was da sey / sie
bitt er wölle jhr herauß helffen / Traun nein / sagt der Mann /
an bösen thieren ist nichts guts zuuerdienen / ich solt wol ein
Schlang inn meinem busem auffziehen / Die Schlang helt an /
vnnd verspricht dem Bauren / sie wölle jhm bey jrem Gott /
der ein mal durch sie geredt / den besten lohn liefern / so die
welt pflegt zu geben / Gifft / gab vnnd grosse verheissung /
bethören auch die Weysen / Der Baur hilfft dem bösen vnd
listigen Wurm herauß / drauff will sie jn zu lohn fressen / Hab
ich das vmb dich verdienet? ist das deiner zusag gemeß? sagt
der Baur / Ich bin zweyzüngig / sagt die Schlang / die Welt
lonet nicht anders / Wer ein vom galgen bitt / der bringt jn
gemeincklich wider dran.

Wie der Baur in engsten stehet / sagt die Schlang / da du mir
nicht glauben wilst / so wöllen wirs auff die nechsten zwey
setzen / die vns begegnen / was sie inn diser sachen sprechen /
das soll vns beyden wol vnd wehe thon / Bald kombt ein altes
Pferd / dem legen sie die sache für / der schiedman spricht: Ich
hab meinem Kerner fünffzehen jar gedienet / morgen will er
mich dem schelmschinder geben / Die welt lohnet nicht anders. Desgleychen spricht der alte Hund / auff den sie auch
compromittirn / Ich hab zehen jar tag vnd nacht meim Jun-
ckern jagen / vnd vil Füchs vnnd Hasen fangen helffen / Jetzt
hat er seim Weydman befohlen / er soll mich an ein Weide
hencken / das ist der Welt lohn. Dem Baurn wird bang zu mut
/ inn dem trabt ein Füchslein daher / dem legt der Baur sein
sach auch für / vnd verheist jm all sein Hüner / er sol jm von
dem bösen Wurm helffen / Der Fuchs vnterwindt sich des

handels / beredt die Schlang / sie wölle jhm die höle zeigen / vnd was jr gefahr vnd des Bauren dienst gewesen sey / Man kombt zum loch / der Fuchs fert ein / die Schlang hernach / vnd zeygt jm alle gelegenheyt / in des wischt der Fuchs herauß / vnd ehe sich die Schlang vmbwendt / weltzet der Baur auffs Fuchsen abred / wider ein grosse wand für.

Wie der Baur erlediget / fodert der Fuchs / er soll jm auffn abend das Hünerhauß offen lassen / Der Baur kombt heim / thut seim Weib relation / vnnd was er dem Fuchs für sein procuratorey sey anheschig worden / Die Beurin sagt: Hüner vnnd Gens sein jr / er hab jr nichts zuuergeben / Der Baur will sein worten nachkommen / lest dem Fuchs das Hünerloch offen / wie es die Fraw gewar wird / wartet sie mit jrem Schiermeister die nacht auff den Fuchs / Als der in *bona fiducia* geschliechen kombt / verrennen sie jm das loch / vnnd blewen auff jn zu / biß sie jn ergreiffen. Ach / sagt der Fuchs / ist denn das recht / vnd der Welt höchster lohn für die gröste wolthat / so bestettig ichs heut armer schalck / diß Weltrecht mit meinem leben vnd balg.

*Diese von Melanchthon erzählte Fabel, die Mathesius überliefert, findet man auch in der Sammlung von Luthers Tischreden:*

## Bauer und Schlange

*Wie die Welt die Wolthat vergilt und belohnet.* Philippus Melanchthon sagete einmal uber D. Luthers Tisch diese Fabel: »Daß einmal ein Bäuerlin wäre uber Feld gegangen, und da er sich müde gegangen hatte, kam er an eine Höhle oder Loch, in welchem eine Schlange lag, die war mit einem großen Steine verschlossen. Die Schlange rief ihn an und bat, er wollt den Stein vom Loche wälzen und sie los machen, wenn er das thäte, wollte sie ihm den besten Lohn und Dank geben, den man auf Erden pflegte zu geben. Das gute Bäuerlin ließ sich endlich bereden, wälzete den Stein vom Loch und machte

23 *Bauer und Schlange*

die Schlange los, und foderte seinen Lohn; da wollt ihn die
Schlange stechen und umbringen, und sprach: Liebes Männlin, also pflegt die Welt zu lohnen denen, die ihr alles Guts
gethan haben! Da er aber einen andern und bessern Lohn
begehrte und die Schlange auf ihrem Erbieten verharrete, berief sich das Bäurlin auf Anderer Erkenntniß, welchs Thier
ihnen am ersten begegnete, das sollte darüber Richter sein.
Da brachte man ein alten und abgearbeiteten Karrnhengst
geführt, der kaum die Haut ertragen konnte, der sollte zum
Schinder, daß man ihme die Haut abzöge; der sprach: Mir
gehts also, nu ich mein Herz gar abgezogen habe, will man
mich todtschlagen und schinden. Darnach kam ein alter
Hund, den sein Herr ausgeschlagen hatte, der klagte, es ging
ihm gleich auch also. Da sich nu das Bäurlin auf den dritten
Richter, der ihnen begegnet, berief und stallt es auf des selben
endlichen Machtspruch und Aussage, kam ein Füchslin; das
selbige rief das Männlin an und verhieß ihm, da es ihm würde

helfen und von der Schlangen erretten, so wollt er dem Füchslin alle seine Hühner geben. Das Füchslin sprach: Die Schlang
sollt wieder ins Loch gehen, denn wollt es darüber sprechen;
Ursach: ein iglicher müßte zuvor in seinen vorigen Stand wieder gesetzet und restituirt werden, ehe denn ein Rechtferti-
gung, ein Urtheil und Sentenz erginge. Die Schlang, weil sie
ein Mal gewilliget und es dem Fuchs Macht geben hatte,
kroch sie wieder ins Loch. Da war der Baur her, wälzet von
Stund an den Stein wieder dafür, daß die Schlang nicht
konnte heraus kommen. Da nu das Füchslin des Nachts kam
und wollte die Hühner, die ihm verheißen waren, holen,
schlug ihn das Weib und das Gesinde todt.« Darauf sprach D.
Martinus: »Dieses ist ein recht Contrafeit der Welt: Wem
man vom Galgen hilft, der bringet einen gerne wieder daran.
Wenn ich kein Exempel der gleichen mehr hätte, so wäre
doch der Herr Christus Exempels genug, der die ganze Welt
von Sünd, Tod, Teufel und Hölle erlöset hat und ist von seinem eigen Volk gecreuziget und an Galgen gehenkt worden.«

# Grille und Ameise

Also haben die alten Poeten und Weisen gespielet von den Grillen oder Heuschrecken, Die kamen im Winter, da sie nicht mehr zu essen funden, zu den Eimmessen und baten, das sie jnen auch etwas mitteileten, was sie gesamlet hetten, Und da diese sprachen: Was habt jr denn im Sommer gethan, das jr nicht auch habt eingetragen? Wir haben gesungen (sprachen sie), Da musten sie wider hören: Habt jr des Sommers gesungen, so tantzet nu dafur des Winters. Also sol man solchen Narren antworten, die da nicht wollen weise werden, noch verstehen lernen, was Gottes wille ist

24  *Grille und Ameise*

# Aus Luthers Tischreden

## Von der Kröte und den Affen
## und von den Hornissen

Vber tische hab ich etliche gute fabeln vnnd sprichwörter
von jhm gehöret / Als von der Kro / so die Affen straffete / die
auß eim Johans Würmlein fewer blasen wolten / vnd drüber
jren kopff verlor / Also gehets / wenn man ander leuten / die
kein verstand haben / einreden wil / Affen vnd Pfaffen lassen
sich nicht straffen / wie ichs auß langer erfarung bin gewar
worden. Item / da man eines erwehnet / der sich sehr heuch-
lisch vnd glimpflich stellet / gedacht er diß schönen Sprichworts / so auß dem mehrlein von der alten Mauß vnd jren
Töchterlein gesponnen ist / welche ein rauschenden Han / vnd
schleichende Katze sahen / vnnd sich vber dem leysetritt hart
verwunderten / Hüt dich / sagt die Muttermauß / fürn schlei-
chern / die rauscher thun dir lang nichts.

Jtem / wie man meldet / das etliche Hurneusel grosse Klöster güter an sich gezogen / vnd Hofschrantzen damit begna-
det hetten / sagt er: Esopus leret / wenn jemand ein praten
vom Altar zuckt / bleibt gemeiniglich ein glüend kölein dran
hencken / das brendt nest vnd jungen / wie dem Adler ge-
schach.

Ich hab auch gesehen / das Doctor den Sechsischen Rencke
fuchs mit zu tische getragen / vnd vber essen drin gelesen hat /
wie er auch seinem Sone etliche Deutsche fabeln zum argument vorschribe / die er verlateinen solte / wie ich hernach der
einen gedencken will.

# Adler und Fuchs

*Daß Fürsten und Herren die Klöster und geistlichen Güter
zu sich reißen.* Doctor Luther saget einmal uber Tisch davon,
»daß ein wahr Sprichwort wäre: Daß Pfaffengut Raffengut
wäre und daß Pfaffengut nicht gedeihe. Und dasselbige hab
man aus der Erfahrung, daß die jenigen, die da geistliche Güter
zu sich gezogen haben, zuletzt darüber verarmen und zu Bett-
lern werden.« Und sprach darauf, »daß Burkhard Hund, Kurfürst Hansen zu Sachsen Rath, hätte pflegen zu sagen: »»Wir
vom Adel haben die Klostergüter unter unsere Rittergüter gezogen; nu haben die Klostergüter unsere Rittergüter gefressen
und verzehret, daß wir weder Klostergüter noch Rittergüter
mehr haben.«« Und erzählete Doctor Luther davon ein hüb-
sche Fabel und sprach: »Es war einmal ein Adeler, der machte
Freundschaft mit einem Fuchse, und vereinigten sich, bei einander zu wohnen. Als nu der Fuchs sich aller Freundschaft zum
Adeler versahe, da hatte er seine Jungen unter dem Baume,
darauf der Adeler seine junge Adeler hatte. Aber die Freundschaft währete nicht lange; denn als balde der Adeler seinen
Jungen nicht hatte Essen zu bringen, und der Fuchs nicht bei
seinen Jungen war, da flohe der Adeler herunter und nahm
dem Fuchs seine Jungen und führete sie in sein Nest und ließ
sie die jungen Adeler fressen. Da nu der Fuchs wieder kam,
sahe er, daß seine Jungen hinweg genommen waren, klagets
derhalben dem obersten Gott Jovi, daß er *Ius violati hospitii*
rächen, und diese *Iniuriam* strafen wollte[1]. Nicht lange
darnach, da der Adeler wiederum seinen Jungen nichts zu essen zu geben hatte, sahe er, daß man an einem Orte im Felde
dem Jovi sacrificirete. Derhalben flohe er dahin, und nahm
flugs einen Braten vom Altar hinweg und brachte denselbigen
den jungen Adelern ins Nest, und flog wieder hinweg und
wollte mehr Speise holen. Es war aber am Braten eine glü-
hende Kohle behangen blieben, dieselbige als sie ins Nest

gefallen war, zundet sie das Nest an, und als die jungen Adeler nicht fliegen konnten, da verbrannten sie mit dem Nest und fielen auf die Erde.« Und saget Doctor Luther darauf, »daß es pflege also zu gehen denen, so die geistlichen Güter zu sich reißen, die doch zu Gottes Ehren und zu Erhaltung des Predigamts und Gottesdiensts gegeben sind; dieselbigen müssen ihr Nest und Jungen, das ist ihre Rittergüter und andere weltliche Güter, verlieren und noch wol Schaden an Leib und Seel dazu leiden.«

Auf ein ander Mal sagete Doctor Luther, »daß die geistlichen Güter Adelers Federn Art und Natur an sich hätten, denn wo man sie zu andern Federn legete, so fressen und verzehren sie dieselbigen. Also wenn man die geistlichen Güter *per fas et nefas*[2] unter andere Güter menget, so verzehren sie auch dieselbigen, daß einer zu letzt gar nichts behält.«

Es war einer zu Wittenberg mit Namen Severus, welcher des Römischen Königes Ferdinandi Söhne Präceptor gewesen, der bei Doctor Luther zu Tisch gegangen. Dieser hatte

25  *Fuchs und Adler*

uber Doctor Luthers Tische gesaget: »»Es wäre zu Liens ein
Hund gewesen, der dazu gewöhnet worden, daß er hat pflegen Fleisch aus den Fleischbänken zu holen in einem Korbe.
Wenn aber andere Hunde wären an ihn kommen, hatten
ihme das Fleisch nehmen wollen, so hat er den Korb niederge-
setzt und sich weidlich mit ihnen durchbissen. Wenn sie ihn
uberwältiget hatten, so wäre er am ersten mit dem Maul in
den Korb gefallen, habe ein Stück Fleisch erwischt, auf daß er
auch etwas davon uberkäme.«« Da sprach Doctor Luther
darauf: »Eben das thut jtzt unser Kaiser Karol auch; welcher,
nachdem er lange die geistlichen Güter vertheidiget hat und
nu siehet, daß ein jglicher Fürst die Kloster und Stift zu sich
reißet, so nimmet er jtzt auch die Bischthüme ein; wie er denn
neulich das Bischthum Utrich und Luttich zu sich gerissen
hat, auf daß er auch *partem de tunica* Christi uberkomme.«

[1] daß er das Recht der verletzten Gastfreundschaft rächen und dieses Unrecht
strafen möchte.   [2] sprichwörtlich: per omne fas ac nefas aliquem sequi: in allem
Guten und Bösen.

# Fabula

*Fabula. Og, rex Basan, fabulati sunt, Iudei, quod accepit*
*magnum montem quem voluit proicere super inimicos suos,*
*quorum erat magna multitudo.*[1] Aber do er den berckh auf
den kopf bracht, do lies im Gott den selben an hals fallen vnd
darnach grosse zencken aus dem maul von zenen wachsen,
das er des bergs nimmer kondte los werden. Die Juden haben
uil feiner weisen leutt gehabt.

*Der Jüden Lügen vom König Og.* »Die Jüden, wie ihr
Brauch ist, erdichten eine Lügen von Og, dem Könige zu
Basan, nehmlich, daß er einen großen Berg erwischt, den er
unter seine Feinde wollte werfen, denn ihr war ein großer
Haufe; aber da er den Berg auf den Kopf brachte, da ließ ihm
Gott denselben an Hals fallen, und darnach große Zacken
aus dem Maul fur zween Zähne wachsen, daß er des Berges
nimmermehr konnte los werden. Wiewol es eine Fabel ist,
doch kann sie ihre geistliche Deutung haben, wie Aesopus
Fabeln, denn die Jüden haben viel feine weise Leute gehabt.«

[1] Og, der König von Basan, so erdichteten die Juden, nahm einen großen Berg,
um ihn über seine Feinde zu werfen, von denen er eine große Menge hatte.

# Fabula contra sciolos

*Fabula contra sciolos.* Gott wil sein regiment also furen, das im niemands sol einsprechen, vnd die welt kans doch nicht vnterlassen. *Ideo fingitur fabula de auriga paupere Hans Pfrim. Cui concessum est vivere in paradiso et frui deliciis eis ea conditione, ut omnia permitteret vadere, sicut vellent Dei voluntare. Ingressus invenit haurientes aquam vase sine fundo et iuani labore defatigari; praeteriit, vix potuit se continere. Postea vidit duos fabros lignarios portautes lignum, quod in domum ferre non potuerunt, quia neuter praecedere volebat,* sondern ging der quer; *hoc etiam difficile tacuit. Tertio invenit aurigam in luto haerentem; qui cum quatuor equis non posset liberari,* spin er zwey pferde hinden an. *Hoc ille, cum de suo foro esset, non potuit simulare, incepit illum increpare, et ita transgressus est conditionem et expulsus est paradiso. Et cum Petrus occurrisset interrogans, cur exiret? respondit:* Ich muss eraus, vnd habe dennoch vnseren Her Gott nicht vorrothen als du! *Postea Paulum persecutorem cavillatus est. Tertio Moysen incredulum notavit:* Er wer nicht ein solcher gewesen als sie! *Et ita omnes sanctos cavillatus. Tandem venerunt innocentes pueri; cum illis lusit,* schuttelt ihnen birnen von den beumen, *et tandem permansit in paradiso, simulans postea egregie.*

Fabel gegen die Besserwisser. Gott will sein Regiment so führen, daß ihm niemand hineinreden soll, und die Welt kann es doch nicht lassen. Deshalb erdichtete man die Fabel vom armen Fuhrmann Hans Pfriem. Er durfte im Paradies leben und die dortigen Vergnügungen genießen unter der Bedingung, daß er alles so weitergehen lasse, wie es nach Gottes Willen geschah. Als er eintrat, entdeckte er einige die Wasser schöpften mit einem Gefäß ohne Boden und sich abmühten bei dieser unsinnigen Arbeit. Er ging vorüber und konnte sich kaum beherrschen. Später sah er zwei Zimmerleute, die einen Balken trugen, den sie nicht ins Haus bringen konnten, weil keiner vorangehen wollte, sondern in die Quere ging; auch hierüber zu schweigen, fiel ihm schwer. Drittens entdeckte er einen im Morast steckenden Fuhrmann, der sich auch mit vier Pferden nicht hätte befreien können, aber zwei hinten angekoppelt hatte. Dies konnte er, da er vom selben Fach war, nicht hinnehmen, und er fing an, jenen zu tadeln, und damit verletzte er die Bedingung und wurde aus dem

Paradies vertrieben. Als ihm Petrus begegnete und fragte, warum er hinausginge, antwortete er: Ich muß hinaus und habe doch unseren Herrgott nicht verraten wie du! Danach hat er den Paulus als Verfolger getadelt. Drittens hat er Mose als einen Ungläubigen gerügt. Er sei nicht ein solcher wie sie gewesen! Und so hat er alle Heiligen kritisiert. Schließlich kamen die Unschuldigen Kinder. Mit ihnen spielte er, schüttelte ihnen Birnen von den Bäumen. Und so verblieb er am Ende im Paradies und konnte sich später ausgezeichnet anpassen.

# Vom Esel

Ein *wünderlicher Fall*. Doct. Mart. Luth. erzählete Anno
1546 zu Eisleben diese Fabel: »Daß ein Müller hätte ein Esel
gehabt, der wäre ihm aus dem Hofe gelaufen und ans Wasser
kommen. Nun steiget der Esel in einen Kahn, so im Wasser
stund, und wollt daraus trinken; dieweil aber der Kahn von
dem Fischer nicht angebunden war, so schwimmet er mit dem
Esel davon; und kömmt der Müller um den Esel, und der
Fischer um den Kahn, war also Schiff und Esel verloren. Der
Müller klagt den Fischer an, daß er den Kahn nicht hab angebunden. So entschuldiget sich der Fischer, und sagt: Der Müller sollte seinen Esel auf dem Hof behalten haben, und begehrt seinen Kahn bezahlt. *Nunc sequitur, quid iuris?* Wer
soll den Andern verklagen? Hat der Esel den Kahn, oder der
Kahn den Esel weggeführt? Das heißen *Casus in iure.*« Darauf antwortet einer und sprach: »»*Ambo peccaverunt*, der
Fischer, daß er den Kahn nicht hat angebunden, und der Müller, daß er den Esel nicht auf seim Hof behalten, *culpa est ex
utraque parte. Est casus fortuitus, uterque peccavit negligen-
tia.*«« Darauf sagte Doctor Martinus Luther: »*Tales casus et
exempla illudunt summum ius iuristarum. Non enim practi-
candum est summum ius, sed aequitas: ita Theologi quoque
praedicare debent. ne homines omnino ligent aut solvant*;
daß die Leute nicht allzu heilig oder allzu böse werden. *Omnia sunt gubernanda secundum aequitatem.*«

Der Text entstand nicht 1546, sondern spätestens 1534. – Die lateinischen Passagen lauten: Nun folgt die Frage: Wie ist die Rechtslage? (...) Rechtsfälle (...) Beide
sind schuldig (...) Die Schuld ist auf beiden Seiten. Es ist ein durch Zufall bedingter
Fall; jeder von beiden hat sich eine Nachlässigkeit zuschulden kommen lassen. (...)
Solche Fälle und Beispiele sind ein Hohn auf das höchste Recht der Juristen. Man
soll nämlich nicht das höchste Recht praktizieren, sondern ausgleichende Gerechtigkeit üben. So sollen auch die Theologen predigen, daß sie die Menschen nicht
völlig binden oder lösen. (...) Alle Dinge müssen nach dem Prinzip der ausge-
wogenen Gerechtigkeit regiert werden.

# Von der Fliege auf einem Fuder Heu

*Von stolzen, ehrsüchtigen Predigern.* Nach dem etliche D. Martino Luthero sagten, daß Cochläus, Herzog Georgens zu Sachsen Theologus, viel Bücher schriebe und dadurch wollte hoch gesehen sein, da sagte Doctor Martin Luther in *contemtum Cochlaei* eine feine Fabel, so da gehöret auf hoffärtige, ehrgeizige Prediger und naseweise Ladünkel und sprach. »Es saß eine Fliege auf einem Fuder Heu, und da mans einfuhrte und ablude, staub es sehr; da sprach die Fliege: Ei der Teufel, wie einen Staub kann eine Fliege anrichten!« Und saget ferner von solchen hoffärtigen, naseweisen Leuten, »daß sie sich dünken ließen, als thäten sie mit ihrem Schreiben ihme (dem Luther) und Andern großen Schaden und Leid; aber sie thäten gleich wie jener Floch, der sprach, als er von einem Kameel fiel: Ei, ich meine, du hasts gefühlet, was dich fur eine Last gedruckt hat! Ja,« saget er, »ich will dem Cochläo auf kein Buch wider mich geschrieben antworten; darüber er wird viel zorniger werden, denn wenn ich ihm antwortete. Ich wills aber alleine darum thun, daß er nicht die Ehre erlange oder finde, die er durch sein Schreiben wider mich suchet.«

Und sagte viel von den ehrgeizigen und naseweisen Ladünkeln, hatte auch einen Brief, den ihm ein solcher Klügling geschrieben, den lase er, und sprach: »Die Kunst kann nicht verborgen bleiben; wenn der Bauch bersten will, so ists Zeit, daß man sie durch Predigen und Schreiben los mache.« Das redet er höhnisch und sprach dazu: »Hoffart und Vermessenheit ist der Schlangen Häupt!«

*Von den sieben Köpfen Cochläi wider Lutherum.* Cochläus hat in einem Buch D. Luthern genennet ein Thier, das sieben Köpf hätte. Darauf sprach D.M.L.: »Mir gefallen alle Ding wol mit den sieben Köpfen, aber das ist Sünde und Schande, daß sieben Köpfe nicht können einen Hals zu We-

26  *Der siebenköpfige Luther*

gen bringen oder eines Halses werth sein. Man will sagen, des Markgrafen Sohn soll gesagt haben: »»Hat D. Luther sieben Köpfe, so wird er unüberwindlich sein, weil sie ihn bisher, da er nur einen gehabt, nicht haben können uberwinden!««.

# Von dem Versiculo

Man soll nicht zu viel vertrauen. Dominus Philippus Melanchthon recitiret ein Mal uber Doctor Martin Luthers Tische diese Fabel von dem *Versiculo: »Crede parum, tua serva, et quae periere relinque*[1],« und sprach: »»Es hatte einer ein kleines Vögelein gefangen, und das Vögelein wäre gerne los gewesen, und sagte zu ihm: O Lieber, laß mich los, ich will dir so einen köstlichen *gemmam* weisen, der viel tausend Gülden werth ist. Ey, antwortet derselbige, du betreugest mich. Nein traun, sprach das Vögelein, du sollt mit mir gehen und den Edelgestein sehen. Der Mann ließ das Vögelein los, da flog das Vögelein auf einen Baum, saß droben und gab ihm den *gemmam:* Crede parum, tua serva, et quae periere relinque; den schönen Edelgestein ließ er ihm. Als sollt das Vögelein sagen: Da du mich hattest, solltest du mir nicht gegläubet haben. *Tua serva,* das ist, was du hast, das behalte. *Et quae periere relinque;* hast du es verloren, so mußt du Geduld haben.««

[1] Das ›kleine Gedicht‹ lautet: »Vertraue dem Kleinen, bewahre, was du hast, und trenne dich von dem, was du verloren hast.«

# Von Marcolfo und König Salomo

*Doctor Martini Luthers Antwort auf einen fürgeworfenen ärgerlichen Fall.* Doctor Martinus Luther ist ein Mal zu Leipzig Anno 1545 in einem Convivio gewesen, da hatte man ihm fürgeworfen einer hohen Person Fall und Aergerniß, und ihn darmit sehr vexiret und geplagt; da hat er zur Antwort gegeben: »Ihr lieben Junkern von Leipzig! Ich, Philippus und Andere wir haben viel schöner nützlicher Bücher geschrieben und Euch lange gnung das rothe Mündlein gewiesen, da habt Ihrs nicht gewollt; nun läßt Euch der N. in Ars sehen. Ihr habt das Gute nicht wollen annehmen, so möget Ihr nun in das Böse sehen!«

Und erzählete drauf die Fabel mit Marcolfo und König Salomon, und sprach: »Es kam ein Mal Marcolfus bey König Salomo in Ungnade also, daß er ihm seinen Hof verboten hatte und sollte dem Könige nicht mehr für die Augen kommen. Nun ging Marcolfus in ein Holz oder Wald, und als es geschneiet hatte und ein tiefer Schnee lag, da nahm er ein Fuß von einem wilden Thier in eine Hand, und in die ander Hand ein Sieb, und kroch also mit beiden Füßen, auch mit dem Sieb und Fuß gleich als ein wild Thier im Schnee umher, bis er zu einer Hölen kam; darein verkroch er sich. Als nun König Salomons Jäger im Schnee Wildpret ausspürete, kam er auf die Spur, und sahe, daß so ein wünderlich Thier in dieselbige Hölen gekrochen war. Derhalben eilete er an den Hof, und zeiget solches dem Könige an. Da war Salomo eilends auf und mit seinen Jagdhunden für die Höle, und wollt sehen, was für ein Wild drinnen wäre. Da stak Marcolfus im Loche. Als ihn nun der König hieß heraus kriechen, da deckt er den Ars auf, und kroch also rücklings heraus. Da wurde das ganze Hofgesinde zornig auf Marcolfum und sprach der König zu ihm: »»Du Schalk, warum hast Du mir diese Schalkheit gethan?«« Da antwortet Marcolfus: »»Ihr wolltet mir nicht mehr unter Augen sehen, so mußt Ihr mir nu in den Hintern sehen.««

# Waren auch Kleien da?

Auf ein ander Mal redete D. Justus Jonas gegen dem Herrn Doctor Luthern von einem Stattlichen vom Adel im Lande zu Meißen, der sich um nichts so sehr bekümmerte, denn wie er viel Geldes und Guts und große Schätze sammlete, und daß er also sehr verblendet wäre, daß er der fünf Bücher Mosi nichts achtete. Derselbige hätte dem Kurfürsten zu Sachsen, Herzog Johanns Friederichen (da sein Kurfürstliche Gnade mit ihme viel von der Lehre des Evangelii geredet hatte) diese Antwort gegeben und gesaget: »»Gnädigster Herr, das Euangelium gehet Euer Kurfürstliche Gnade nichts an.«« Da sprach D. M. Luther: »Waren auch Kleien da?« Und erzählete eine Fabel, »wie der Löwe alle Thiere hatte zu Gaste gebeten und ein köstlich, herrlich Mahl lassen zurichten, und auch die Sau dazu geladen. Als man nu die köstlichen Gerichte auftrage und den Gästen fürsetzte, sprach die Sau: Sind auch Kleien da? Also sind itzt unsere Epicurer auch. Wir Prediger setzen ihnen in unsern Kirchen die aller beste und herrlichste Speise für, als ewige Seligkeit, Vergebung der Sünde und Gottes Gnade; so werfen sie die Rüssel auf und scharren nach Thalern; und was soll der Kuh Muscaten? sie isset wol Haberstroh.

Also geschahe einmal einem Pfarrherrn, Ambrosio R., von seinen Pfarrkindern. Da er sie zu Gottes Wort vermahnete, daß sie es fleißig höreten, sagten sie: »»Ja, lieber Herr Pfarrherr, wenn Ihr ein Faß Bier in die Kirche schroten und uns dazu berufen ließet, so wollten wir gerne kommen.««

Das Euangelium ist zu Wittenberg wie der Regen, der ins Wasser fället, da der Regen wenig Nutz schaffet; aber fället der Regen auf ein sandigs Feld und da die Saat mager und von der Sonnen verwelket und verbrennet ist, da erquicket solcher Regen das Land und macht es fruchtbar.«

# Sperling und Schwalbe

Wie zween Mönche, ein Barfüßer und ein Prediger, wider
einander geprediget hatten. Man brachte D. M. Luthero einen Sperling ubern Tisch, da fing er an diese nachfolgende
Wort zu reden: »Du Barfüßermönch mit deiner grauen Kappen, du bist der allerschädlichste Vogel! Ich wollt, daß einer
von dieser Fabel einmal ein Declamation schriebe, nehmlich
daß ein Predigermönch und ein Barfußer mit einander ge-
wandert waren, die fur ihre Brüder betteln und Almosen
sammlen wollten. Nu hat einer auf den andern mit unnützen
Worten gestochert, und hat der Barfüßermönch erst geprediget und gesaget: »»Liebe Bauern, gute Freunde! Hütet euch
fur dem Vogel der Schwalben, denn inwendig ist sie weiß,
aber auf dem Rücken ist sie schwarz; es ist gar ein böser Vogel, waschhaftig, nirgends zu nütz; und wenn man diesen Vogel erzörnet, so wird er ganz unsinnig und sticht die Kühe;
und wenn dieser Vogel pferchet, so werden die Leute blind
davon, wie ihr das im Buch Tobiä leset.«« Wollt damit den
Predigermönch abmalen, die tragen auswendig schwarze
Kappen und inwendig weiße Röcke.

Als nu nach Mittage der Predigermönch auch auf die Kanzel
kam und predigte, da stach er wieder auf den Barfüßermönch
und sprach: »»Ich kann zwar den Vogel, die Schwalbe, so
groß nicht vertheidigen oder schützen; aber der graue Sperling, der ist viel ein ärger und schädlicher Vogel denn die
Schwalb; denn er raubet, stihlet und frisset Alles, was er nur
bekommen kann, als Hafern, Gersten, Waizen, Rocken, Aep-
fel, Birn, Erbeis und Kirschen etc. So ist er auch ein unkeu-
scher und geiler Vogel, und ist seine größte Kunst, daß er
immerdar schreit: Scirp! Scirp!«« Damit hat ein Bettler den
andern hindern wollen. Und sprach D. L.: »Es müßte ein
Rhetoricus drüber kommen, der diese Fabel fein amplificiren
und ausstreichen könnte; aber der Barfüßermönch der müßte

27 *Mann und Vögel*

die Schwalben, den Predigermönch, noch mit bessern Farben
ausstreichen; denn die Predigermönche sind die allerstolze-
sten Ebentheurer und rechte Epicurer und Mastschwein gewesen, die eine sonderliche Hoffart getrieben haben; dagegen
waren die Bettler, die Barfüßer, unter dem großen Schein der
Heiligkeit und Demuth mehr stölzer denn alle Kaiser und haben am aller meisten Lügen erdacht.«

Darauf sagte D. Severus: »Lieber Herr Doctor, es kam einmal der König Ferdinandus in ein Mönchskloster der Barfüßer; nu funde des Königs Secretarius einer diese Buchstaben
gar schön und herrlichen an die Wand geschrieben. Als:

M. N. M. G. M. M. M. M.

Da nu der Secretarius die Buchstaben ansiehet, und gedenket,
was sie doch bedeuten möchten, da kömmt der König Ferdinandus an denselben Ort auch gangen, siehet die Buchstaben
auch an und fraget, was sie bedeuten müßten? Da antwortet

der Secretarius: »»Wenn E. K. Maj. kein ungnädiges Mißfallen darob tragen wollte, so dünket mich, ich wollts errathen, was die Buchstaben bedeuten möchten.«« Der König spricht, er sollts sagen, es sollt ihm ohn Gefahr sein. Da spricht der Secretarius:

»»*Mentitur Nausea* (welcher Bischof zu Wien war), *mentitur Gallus* (der war des Königs Hofprediger), *mentiuntur Maiores, Minores,* das ist, die Barfüßermönche, *Minorarii,* das sind sonderliche Mönche, so in den *Alpibus* wohnen.«« Der König Ferdinandus hörete solches und verbiß es, und ging hinweg. Und war ganz höflich von dem Secretario also gedeutet und ausgeleget.«

# Vom Platzregen und den großen Hansen

Um unser *Härtigkeit Willen muß Gott hart und Gott sein.*
Da D. Martinus von einem jungen Fürsten hart angesprochen
und ihm furgeworfen ward: »»Worum er doch so heftig
schriebe und die Leute so hart angriffe?«« sprach er: »Unser
Herr Gott muß zuvor einen guten Platzregen mit einem Donner lassen hergehen, darnach fein mälig lassen regnen, so
feuchtets durch. Item: Ein weidenes oder häseln Rüthlin kann
ich mit einem Brotmesser zuschneiden, aber zu einer harten
Eichen muß man Barten, Beile und Aexte haben, man kann
sie dennoch kaum fällen und spalten.«

*Daß man große Hannsen mit dem Predigtamt nicht hart an-
greifen soll.* Der junge Markgraf Joachim der Ander hat
Anno 1532, als er zu Wittenberg gewesen, Doctor Mar-

28  *Tanne und Rohr*

tinum Luther gefraget: »»Warum er doch so heftig und hart wider die großen Herren schriebe?«« Darauf hat Doct. Martinus geantwortet: »Gnädiger Herr, wenn Gott das Erdreich will fruchtbar machen, so muß er zuvor lassen furgehen einen guten Platzregen mit einem Donner und darnach darauf fein mälich regenen lassen; also feuchtet er das Erdreich durch und durch.« »Item«, sprach er, »ein weidenes Rüthlein kann ich mit einem Messer zerschneiden, aber zu einer harten Eichen muß man eine scharfe Axt und Barten oder Keil haben, man kann sie dennoch kaum spalten; wie denn eine große Eiche von einem Haue nicht fället.«

# Gleichnisse der Kirche

*Wie es um die christliche Kirche stehet.* »Um die christliche Kirche wird es stehen nicht anders denn wie um ein Schäflin, das der Wolf jtzt bei der Wolle erwischt hat und fressen will. Unser Adel, Bürger und Bauern hören auch nicht, meinen nicht anders, wenn wir das Euangelium predigen und die Mönche mit ihren Werken schelten, wir predigen gute Tage und erläuben ihnen zu thun, was sie wollen.

Aweh! Es wird mit ihnen ubel zugehen. sie versündigen sich zu hoch und hören nicht, was wir sagen; wenn wir einen Teufel austreiben, so kommen ihr sieben an die Statt! Wenn wir die Mönche alle vertrieben, so würden wir siebenmal ärgere kriegen, denn die itzigen sind!

Ich gedachte aber, es sollte einem Lande zuträglicher sein, daß man das Verjagen und Zustören nachließe und erläubete jdermann auszuziehen und zu bleiben, wer da wollte. Ich hoffe, sie sollen sich selbs bald verwüsten. Aber die Herrn und der Adel suchen das Jhre, darin wirds ihnen bekommen, wie dem Hunde das Gras! Jdermann will reich an den Bettelstücken der Klöster werden, sie sehen sich aber für, daß nicht ihr Reichthum zu Bettelstücken werden!«

*Ein ander Gleichniß und Bild der Kirche.* »Amaranthus wächst im Augstmonde und ist mehr ein Stengel denn ein Blümlin, läßt sich gerne abbrechen und wächst fein fröhlich und lustig daher. Und wenn nu alle Blumen vergangen sind und dies mit Wasser besprengt und feucht gemacht wird, so wirds wieder hübsch und gleich grüne, daß man im Winter Kränze draus machen kann. Jst Amaranthus daher genennet, das nicht verwelkt noch verdorret.

Jch weiß nicht, ob der Kirche etwas möge gleicher sein denn Amaranthus, diese Blume, die wir heißen Tausendschön. Denn wiewol die Kirche ihr Kleid wäscht im Blut des

Lämmlins, wie in Genesi und Apocalypsi stehet, und ist mit rother Farb gefärbet, doch ist sie schöner denn kein Stand oder Versammlung auf Erden. Und sie alleine hat der Sohn Gottes lieb wie seine liebe Braut, an der er alleine seine Lust und Freude hat; an der alleine hänget sein Herz, verwirft und hat ein Unlust und Ekel an allen Anderen, die das Euangelium verachten oder verfälschen.

Zu dem läßt sich die Kirche auch gerne abbrechen und berupfen, das ist, sie ist Gott willig und gerne gehorsam im Creuz, ist darinne gedüldig und wächst wiederum fein lustig, und nimmet zu, das ist, sie krigt den größten Nutz und Frucht davon, nehmlich, daß sie lernet Gott recht erkennen, anrufen, die Lehre frei bekennen, und bringet viel schöner, herrlicher Tugenden.

Endlich bleibt der Leib und der Stamm ganz, und kann nicht ausgerottet werden, ob man wol wider etliche Glieder wüthet und tobet und sie abreißt. Denn gleich wie Amaranthus, Tausendschön, nicht verwelkt noch verdorret, also kann man auch nimmermehr die Kirche vertilgen und ausrotten. Was ist aber wunderbarlichers denn der Amaranthus? Wenns mit Wasser besprenget und drein gelegt wird, so wirds wieder grün und frisch, gleich als von Todten auferweckt.

Also sollen wir keinen Zweifel haben, daß die Kirche wird aus den Gräbern von Gott erweckt, wieder lebendig herfür kommen, und den Vater unsers Herrn Jesu Christi und seinen Sohn, unsern Erlöser und Heiland, sammt dem heiligen Geist ewiglich loben, rühmen und preisen.

Denn wiewol ander Kaiserthum, Königreiche, Fürstenthum und Herrschaften ihre Aenderung haben und bald wie die Blümlin verwelken und dahin fallen, doch so kann dies Reich, das so hoch und tief eingewurzelt ist, durch keine Macht noch Gewalt zurüttet noch verwüstet werden, sondern bleibt ewig.«

*Vom Oelbaum.* »Ein Oelbaum kann in die zwei hundert Jahre stehen, währen und Früchte tragen, und ist ein schön Bildniß der Kirche. Denn Oel bedeutet die Lieblichkeit und Freundlichkeit des Euangelii; Wein, die Lehre des Gesetzes. Es ist aber ein solche natürliche Einigkeit und Verwandtniß zwischen dem Weinstock und Oelbaum, daß, wenn der Weinstock auf einen Oelbaum gepfropft und gesetzt wird, so trägt er beides, Weinbeer und Oel. Also die Kirche, dem Volk eingepflanzt, klinget und lehret das Euangelium, und braucht beider Lehre, und bringet von beiden Früchte.«

# Gleichnis eines Christenlebens

*Gleichniß eines Christen Lebens.* »Unser Leben ist gleich wie ein Schiffahrt. Denn gleich wie die Schiffleute fur ihnen haben den Port, nach und zu welchem sie ihre Fahrt richten, daß sie den erlangen und dahin kommen mögen, da sie sicher und aus aller Gefahr sind; also ist uns die Verheißung des ewigen Lebens auch geschehen und gethan, daß wir in derselben gleich wie in einem Port fein sanft und sicher ruhen sollen. Weil aber das Schiff, in dem wir gefuhrt werden, schwach ist und große, gewaltige, fährliche, ungestüme Winde, Wetter und Wellen zu und auf uns einfallen und gern bedecken wollen, so bedürfen wir wahrlich wol eines verständigen, geschickten Schiffmannes und Patrons, der das Schiff mit seinem Rath und Verstand also regiere und führe, daß es nicht irgend, entweder an ein Steinklippe anstoße oder gar versaufe und untergehe.

Nu ist unser Schiffherr und Patron alleine Gott, der das Schiff nicht alleine will, sondern auch kann regieren und erhalten, auf daß, da es gleich von ungestümen Wellen und Sturmwinden hin und wieder gewehet und uberfallen wird, gleichwol unversehret und unzubrochen, ganz ans Ufer und an Port kommen möge.

Er hat aber verheißen, daß er uns will beystehen, wenn wir ihn nur um Regierung und Hülfe, Schutz und Schirm fleißig bitten und mit Ernst anrufen; und so lange wir diesen Schiffherrn bey uns haben und behalten, so hats kein Noth, und kommen aus allem Unglück, daß uns die grausamen Winde und Wellen nicht schaden noch bedecken können. Wenn aber die, so im Schiff, in der größten Gefahr den Schiffherrn und Regenten muthwilliglich ausm Schiff werfen, der sie doch durch seine Gegenwärtigkeit und Rath erhalten könnte, in dem Fall muß das Schiff umkommen und verderben. Und man siehet klärlich, daß der Schiffbruch geschehen ist nicht aus Verwahrlosung und Schuld des Schiffherrn, sondern aus Muthwillen und Unsinnigkeit derer, die im Schiff gewest sind.

Dies Gleichniß und Bilde zeiget fein an, was die Ursach sey unsers Unglücks und Elendes und woher es komme.«

# Tiervergleiche

## Christus als Ichneumon

Das Thierlin Ichneumon ist des Herrn Christi Bilde. Doct. M. Luther fragte, was doch ein Crocodilus fur ein Thier wäre? und sprach: »Es muß gewißlich ein Lindworm sein oder wie sonst irgend eine große Eidechs ist, welche möchte etlich Ellen lang sein. Diese Bestia ist in Aegypten, und ist seine größte Freude und Lust, daß es mag Menschenfleisch fressen; wie es denn viel Leute erwürget und umbringet. Aber wenn es gleich noch so ein groß und grausam Thier wäre, so wird es doch von einem viel kleinern Thierlin, so Jchneumon genannt wird und nicht größer ist denn als eine Katze, erwürget, und die Leute in Aegypten beten beide Thier, den Crocodil und den Jchneumon, fur Götter an.

Es gehet aber also zu, daß der Jchneumon den Crocodil erwürget: wenn die Sonne im Mittage am heißesten scheinet und der Drache (der Crocodil) Menschen oder Fisch gefressen hat, so legt er sich am Ufer des Wassers Nili an die Sonne und schläfet. Wenn er denn also entschlafen ist und den Rachen weit aufgesperret hat, so ist das Thierlin Jchneumon her und wälgert sich im Koth, trucknet sich an der Sonne, daß es hart wird, und zeuhet gleich einen Harnisch oder Panzer an von Koth und Leime, und kreucht dem schlafenden Crocodil oder Lindworm in Hals hinein und wischet ihm im Bauch umher, und zubeißet ihm das Gedärm und Eingeweide, daß er davon stirbet. Und ob der Crocodil wol den Schwanz schüttelt und Gift heraus schüttet, so kann er doch Niemand schaden, wird also uberwunden und getödtet, wie Plinius (Hist. nat. lib. 8. c. 24) und der griechische Poet Nicander davon schreiben, und wenn denn der Crocodil todt ist, kreucht das Thierlin wieder aus seinem Rachen.«

Und sprach D. M.: »Das ist unsers Herrn Gottes Spiel; er handelt nicht durch große Stärke, Macht und Gewalt, sondern durch Schwachheit.« »Ja,« sprach er, »dies kleine Thierlin Jchneumon ist ein Bilde des armen schwachen Herrn Christi, welcher, da er Mensch worden und unser unfläthig, kothig Fleisch und Blut (doch ohne Sünde) an sich genommen, hat er doch die großmächtigen Feinde, als den Tod und Teufel, uberwunden und ihnen den Bauch zurissen. Solches sähen wir Alles, wenn wir nicht das Peccatum am Halse hätten. Aber wir kennen jtzt solche irdische grausame Thiere nicht, als Monoceron, das Einhorn; item Rhinoceron, ein Thier, das ein Horn an der Nase hat; Pard, Leopard, Tigerthier; ja, wir wissen nicht, wie wundersam Gott sei in seinen Creaturen.«

### Der Vogel als Bild des Gottvertrauens

*Gottes Güte, wenn man ihm könnte vertrauen.* Gegen dem Abend kamen zwei Vogelin, die ins Doctors Garten ein Nest machten, geflogen, waren aber oft von denen, so furüber gingen, gescheucht. Da sprach der Doctor: »Ach, du liebes Vogelin, fleuhe nicht! ich gönne dirs von Herzen wol, wenn du mirs nur gläuben könntest. Also vertrauen und glauben wir unserm Herrn Gott auch nicht, der uns doch alles Gutes gönnet und erzeiget; er will uns ja nicht todtschlagen, der seinen Sohn fur uns gegeben hat.«

### Der Teufel als Fliege

*Die Fliegen sind des Teufels und der Ketzer Bild.* Doctor Luther sprach einmal: »Jch bin den Fliegen darüm feind und gram, *quia sunt imago Diaboli et haereticorum.* Denn wenn man ein schön Buch aufthut, bald so fleuget die Fliege drauf

29 *Fliege und Ameise*

und läuft mit dem Ars herüm, als sollt sie sagen: Hie sitze ich, und alhier soll ich meinen Balsam oder meinen Dreck her schmieren. Also thut der Teufel auch; wenn die Herzen am reinesten sein, so kömmt er und scheißt drein. Wenn ich am allerlustigsten und geschicktesten zum Beten bin, da komm ich etwa mit meinen Gedanken gen Babylonien oder baue sonst ein Schloß oder Häuser.«

## Die Ketzer als Wölfe und Füchse

Wölfe und Füchse sind der Ketzer Bild. Anno 1536. hat Doctor Martinus Luther, als die oberländischen Theologen *in causa sacramentaria*[1] zu Wittenberg waren, gesagt: »Unser Herr Gott hat abgemalet *haereticos et damnatos homines in lupis et vulpibus*; denn *lupus* und *vulpes* sehen also einfältig

147

und fromm, *ac si omnibus horis orarent Pater noster et Symbolum*; aber der Teufel gläube ihnen!«[2]

[1] wegen der Sakramentenlehre.  [2] ›Unser Herr Gott hat die Ketzer und verdammten Menschen als Wölfe und Füchse gemalt; denn Wolf und Fuchs sehen so einfältig und fromm aus, als ob sie zu jeder Stunde das Vaterunser und Glaubensbekenntnis beten; aber der Teufel mag ihnen glauben!‹

## Der Papst

*Collation oder Vergleichung des Papsts mit dem Vogel Kukkuk.* Doctor Martinus Luther sagte, »daß der Kuckuk hat die Natur und Art, daß er der Grasmücken ihre Eier aussäuft, und legt seine Eier dargegen ins Nest, daß sie die Grasmücke muß ausbrüten. Darnach, wenn die jungen Kuckuk aus der Schalen gekrochen und groß sind, so kann die Grasmücke sie nicht bedecken, darvon werden die Kuckuk aufsätzig[1] und zuletzt fressen die jungen Kuckuk ihre Mutter, die Grasmükken. Darnach auch kann der Kuckuk die Nachtigall nicht leiden,« sagte Doctor Luther. »Der Papst ist der Kuckuk, er frisset der Kirchen ihre Eier und scheißt dargegen eitel Cardinäl aus. Darnach so will er seine Mutter, die christliche Kirche, fressen, darinnen er doch geborn und auferzogen ist; so kann er frommer, christlicher, rechtschaffener Lehrer Gesang, Predigt und Lehre nicht dulden oder leiden.«

*Der Papst ist ein Löwe und Drache.* »Es ist unmöglich, daß der Papst kann rugen[2]. Wenn er gleich den zugefügten Schaden duldet und verbeißt, doch gedenkt er solche Schmache zu rächen mit heimlichen Listen und Tücken, wie und wenn er nur kann. Es ist aber leichter einen Löwen zu uberwinden denn ein Drachen. Also sagt S. Augustinus vom Teufel, daß er zur Zeit der Märtyrer ein Löwe sei gewest; ein Drache zur Zeit der Ketzer. Darum lasset uns wachen und beten; denn ob wir ihn gleich am Leibe gemattet haben, doch lebet sein Seele noch. Lasset uns ohn Unterlaß und getrost beten, es ist hoch

148

von Nöthen, denn wir haben zu streiten nicht mit Fleisch und Blut, sondern mit den bösen Geistern in Lüften.

Der König von Engeland verachtet des Papsts Leib, hat sein Bann und Canonisiren verworfen und Joch ausgeschlagen; aber seine Lehre behält er noch, hat sie noch lieb und werth. Es wirds ihm aber der Papst nicht schenken, wird ihn berükken und hinterschleichen mit Hinderlisten und heimlichen Tücken und Practiken. Denn ins Papsts Reich ist dieses Königs Abfall ein bös Exempel. Es sollten darnach die andern Könige wol auch also thun.«

*Gottes Wort soll man gewiß sein.* »In Religionssachen, was Gottes Wort und die Lehre belanget, da soll man des Dinges gewiß sein und nicht wanken, auf daß die Bekenntniß in Anfechtung bestehe und man darnach nicht sage: ich hätte es nicht gemeinet. Denn wie solche Rede sonst in weltlichen Sachen fährlich ist, also ist sie in der Theologia sehr schädlich. Darum sind die Canonisten, des Papsts Heuchler und andere Ketzer ein echt Chimära und gräulich Wunderthier, welches am Angesicht ist wie eine schöne Jungfrau und der Leib ist wie ein Löwe, aber der Schwanz ist wie eine Schlange, das ist, ihre Lehre gleißet schön, scheinet hübsch, und was sie lehren, das gefällt der Vernunft wol und es hat ein Ansehen; darnach so bricht ihre Lehre mit Gewalt durch, denn alle falsche Lehrer hängen gemeiniglich das Brachium seculare[3] an sich, aber zu letzt ist es eine schlüpferige, ungewisse Lehre, gleich wie eine Schlange eine glatte Haut hat und einem durch die Hände wischet.«

[1] aussätzig. [2] bereuen. [3] Brachium saeculare: die weltliche Macht im Gegensatz zur geistlichen, dem B. ecclesiasticum.

*Daß dem Papst, dem Bärwolfe, zu wehren und zu widerstehen jedermann schüldig ist.* Anno 1539 den 9. Mai hielt D. Mart. zu Wittenberg offentlich in der Schule ein sehr scharfe ernste Disputation bei drei Stunden lang wider das gräulich

# Antichristi.

### Antichristus.

Der Babst maßt sich an itzlichen Tyrannen vnd heydnischen
fursten / ßo yre fueß den leuten zu kußen dar gericht/nach zu
volgen/damit es waer werde das geschrieben ist.Wilcher dießer
Bestien Bilde nicht anbettet/sall getödt werden Apocalip.13.
Ditz kussens darff sich der Bapst yn seyné decretalen vnhot-
schembt rumen.c.cū oli de pri.cle.Si summus pon.de sen.excō.

*30 Papst als Antichrist*

ungeheur Thier, den Papst, den Bärwolf, der aller Tyrannen Wütherei ubertrifft, als der allein will Exlex (ohn alle Gesetz) sein, frei sicher leben und thun nach all seinem Gefallen, und noch dazu angebetet sein, mit Verlust und Verdammniß vieler armen Seelen; darüm soll ihm mit allen Kräften, Macht und Vermögen widerstehen und wehren, wem Gottes Ehre und der Seelen Heil und Seligkeit lieb ist. Der Papst rühmet sich in seinen Drecketen: Er habe Macht, Fug und Recht uber alle Regiment im Himmel und Erden, ein Herr uber alle Herrn. Wie kann doch ein Mensch also reden? Das kann weder Gott noch Könige leiden. Er ist ein Eselskönig, wie man vom Könige zu Frankreich saget. Sein Tyrannei ist zu hoch gestiegen, er hat dürfen Kaiser und Könige mit Füßen treten, hat die ganze Welt unterdruckt und unter sich bracht mit dem Wort: »Du bist Petrus!« Niemand durft ihm einreden, und sagen: Worüm thust du das? Denn unser Herr Gott hatte die Welt geblendet durch kräftige Jrrthum, wie Daniel sagt: Bis der Zorn uber und aus ist.

Jch hoffe, er soll das Größte und Meiste gethan haben; und ob er gleich nicht gar fället, doch wird er nicht mehr zunehmen und steigen. Die alten Päpste waren frömmer und reiner; da sie aber begunnten nach dem Regiment und Herrschaft zu stehen, besorgeten, sie müßten wieder Diener werden: da konnte Cain seinen Bruder nicht länger dulden noch leiden. Und ist den Papisten nimmermehr zu vertrauen, wenn sie gleich Fried zusagen, verschreiben und verbriefen. Auf dem Tage zu Nürnberg erdichteten sie und nahmen ein Disputation vor, auf daß sie die Weile uns verdrucken und uberziehen mögen. Drüm laßt uns beten und wachen in diesem Friedstand, auf daß durch dies Licht des Euangelii Gottes Name geheiliget werde!«

31 *Die babylonische Hure*

$$\text{contra}
\begin{cases}
\text{Deum} \\
\text{caesarem} \\
\text{hominem seu} \\
\text{virum}
\end{cases}
\text{damnat}
\begin{cases}
\text{religionem,} \\
\text{politiam, eo quod inter-} \\
\text{dixit sarcerdotibus ius} \\
\text{caesareum,} \\
\text{oeconomiam, prohibens} \\
\text{suis matrimonium.}
\end{cases}$$

D*es Papsts dreifächtige Krone.* »Der Papst hat drei Kronen. Die erste ist stracks wider Gott; denn er verdammet die Religion. Die ander wider den Kaiser; denn er verdammet das weltlich Regiment. Die dritte ist wider gemeine Leute; denn er verdammet den Hausstand, hat den Priestern und seinen Geschmierten das kaiserlich Recht, die Ehe und Haushaltung, verboten.

Der Papst ist der rechte Rattenkönig der Mönche und Nonnen und Plättlingen, hat vor sechs hundert Jahren ungefährlich angefangen, aber zwei hundert Jahr hernach, da die Secten einrissen und uberhand nahmen, sehr zugenommen und gestiegen.«

Jch hab den Papst mit den bösen Bildern sehr erzürnet. O, wie wird die Sau den Berzel in die Höhe recken! Aber ob sie gleich mich tödten, so fresse sie erst Dreck, so der Papst, welcher auf der Sauen reit, in der Hand hat. Jch hab dem Papst eine güldne Schalen in die Hand gegeben, da soll ers erst credenzen.

# Luthers Theorie und Urteile
## über die Fabel

# Vorrede
(1530)

*Etliche Fabeln aus Esopo, von D.M.L. verdeudscht, sampt*
*einer schönen Vorrede, von rechtem Nutz und Brauch dessel-*
*ben Buchs, jederman wes Standes er auch ist,*
*lüstig und dienstlich zu lesen.*
*Anno M.D.XXX.*

DJs Buch von den Fabeln oder Merlin ist ein hochberümbt
Buch gewesen bey den allergelertesten auff Erden, sonderlich
unter den Heiden. Wiewol auch noch jtzund, die Warheit zu
sagen, von eusserlichem Leben in der Welt zu reden, wüsste
ich ausser der heiligen Schrifft nicht viel Bücher, die diesem
uberlegen sein solten, so man Nutz, Kunst und Weisheit und
nicht hochbedechtig Geschrey[1] wolt ansehen. Denn man
darin unter schlechten Worten und einfeltigen Fabeln die al-

32  *Ein Priester bittet die Göttin Isis, die Äsop Weisheit verleiht*

lerfeineste Lere, Warnung und Unterricht findet (wer sie zu brauchen weis), wie man sich im Haushalten, in und gegen der Oberkeit und Unterthanen schicken[2] sol, auff das man klüglich und friedlich unter den bösen Leuten in der falschen, argen Welt leben müge.

DAs mans aber dem Esopo zuschreibet, ist meins achtens ein Geticht, und vieleicht nie kein Mensch auff Erden Esopus geheissen, Sondern ich halte, es sey etwa durch viel weiser Leute zuthun mit der zeit Stück nach Stück zuhauffen bracht und endlich etwa durch einen Gelerten in solche Ordnung gestelt, Wie jtzt in Deudscher sprach etliche möchten die Fabel und Sprüche, so bey uns im brauch sind, samlen, und darnach jemand ordentlich in ein Buch fassen, Denn solche feine Fabeln in diesem Buch, vermöcht jtzt alle Welt nicht, schweig denn ein Mensch, erfinden. Drumb ist gleublicher, das etliche dieser Fabeln fast alt[3], etliche noch elter, etliche aber new gewesen sind zu der zeit, da dis Büchlin gesamlet ist, wie denn solche Fabeln pflegen von jar zu jar zuwachssen und sich mehren, Darnach einer von seinen Vorfaren und Eltern höret und samlet.

UNd Quintilianus, der grosse scharffe Meister uber Bücher zu urteilen, helts auch dafür, das nicht Esopus, sondern der allergelertesten einer in griechischer Sprach, als Hesiodus oder desgleichen, dieses Buchs Meister sey, Denn es dünckt jn, wie auch billich, unmüglich sein, das solcher Tolpel, wie man Esopum malet und beschreibet, solte solch Witz und Kunst vermügen, die in diesem Buch und Fabeln funden wird, und bleibt also dis Buch eines unbekandten und unbenanten Meisters. Und zwar, es lobet und preiset sich selbs höher, denn es keines Meisters name preisen köndte.

DOch mögen die, so den Esopum zum Meister ertichtet haben und sein leben dermassen gestellet, vieleicht Ursach gnug gehabt haben, nemlich, das sie als die weisen Leute solch Buch umb gemeines Nutzes willen gerne hetten jederman gemein gemacht (Denn wir sehen, das die jungen Kin-

33 *Äsop gibt die Speise dem Hund, statt der Frau*

dern und jungen Leute mit Fabeln und Merlin leichtlich bewegt) und also mit lust und liebe zur Kunst und Weisheit gefürt würden, welche lust und liebe deste grösser wird, wenn
ein Esopus oder dergleichen Larva oder Fastnachtputz fürge-
stellet wird, der solche Kunst ausrede oder fürbringe, das sie
deste mehr drauffmercken und gleich mit lachen annemen
und behalten. Nicht allein aber die Kinder, sondern auch die
grossen Fürsten und Herrn kan man nicht bas betriegen zur
Warheit und zu jrem nutz, denn das man jnen lasse die Narren die Warheit sagen, dieselbigen können sie leiden und hören, sonst wöllen oder können sie von keinem Weisen die
Warheit leiden. Ja, alle Welt hasset die Warheit, wenn sie einen trifft.

DArumb haben solche weise hohe Leute die Fabeln erticht
und lassen ein Thier mit dem andern reden, Als solten sie
sagen, Wolan, es wil niemand die Warheit hören noch leiden,

und man kan doch der Warheit nicht emberen, So wöllen
wir sie schmücken und unter einer lüstigen Lügenfarbe und
lieblichen Fabeln kleiden, Und weil man sie nicht wil hören,
durch Menschen mund, das man sie doch höre, durch Thie-
rer und Bestien mund. So geschichts denn, wenn man die Fabeln lieset, das ein Thier dem andern, ein Wolff dem andern
die Warheit sagt, Ja zuweilen der gemalete Wolff oder Beer
oder Lewe im Buch dem rechten zweifüssigen Wolff und
Lewe einen guten Text heimlich lieset, den jm sonst kein
Prediger, Freund noch Feind lesen dürffte. Also auch ein ge-
malter Fuchs im Buch, so man die Fabeln lieset, sol wol einen Fuchs uber Tisch also ansprechen, das jm der Schweis
möchte ausbrechen, und solte wol den Esopum gern wöllen
erstechen oder verbrennen. Wie denn der Tichter des Esopi
anzeigt, das auch Esopus umb der Warheit willen ertödtet
sey und jn nicht geholffen hat, das er in Fabeln weise als ein
Narr, dazu ein ertichter Esopus, solche Warheit die Thier

34 *Warum die Menschen ihren Stuhl beschauen*

hat reden lassen, Denn die Warheit ist das unleidlichste ding auff Erden.

AUs der Ursachen haben wir uns dis Buch fürgenomen zu fegen[4] und jm ein wenig besser Gestalt zu geben, denn es bisher gehabt, Allermeist umb der Jugend willen, das sie solche feine Lere und Warnung unter der lieblichen gestalt der Fabeln gleich wie in einer Mummerey oder Spiel deste lieber lerne und fester behalte. Denn wir gesehen haben, welch ein ungeschickt Buch aus dem Esopo gemacht haben, die den Deudschen Esopum, der fürhanden ist, an tag geben haben, welche wol werd weren einer grossen Straffe, als die nicht allein solch sein nützlich Buch zu schanden und unnütz gemacht[5], sondern auch viel Zusatz aus jrem Kopff hinzu gethan, Wiewol das noch zu leiden were.

DArüber so schendliche, unzüchtige Bubenstück darein gemischt, das kein züchtig, from Mensch leiden, zuvor kein jung Mensch one schaden lesen oder hören kan, Gerad als hetten sie ein Buch in das gemein Frawen haus[6] oder sonst unter lose Buben gemacht. Denn sie nicht den Nutz und Kunst in den Fabeln gesucht, sondern allein ein Kurtzweil und Gelechter daraus gemacht, Gerade als hetten die Hochweisen Leute jren trewen grossen vleis dahin gericht, das solche leichtfertige Leute solten ein Geschwetz und Narrenwerck aus jrer Weisheit machen. Es sind Sew und bleiben Sew, für die man ja nicht solt Berlen werffen.

DArumb so bitten wir alle frome Hertzen, wöllen denselbigen Deudschen schendlichen Esopum ausrotten und diesen an sein stat gebrauchen. Man kan dennoch wol frölich sein und solcher Fabel eine des Abends uber Tisch mit Kindern und Gesind nützlich und lüstiglich handeln, das man nicht darff so schampar und unvernünfftig sein wie in den unzüchtigen Tabernen und Wirtsheusern. Denn wir vleis gethan haben eitel feine, reine, nützliche Fabeln in ein Buch zubringen dazu die Legend[7] Esopi.

35 *Äsop deutet das Wunderzeichen von Adler und Ring*

WAs sonst nutz und nicht schedliche Fabeln sind, wöllen
wir mit der zeit auch, so Got wil, leutern und fegen, damit es
ein lustiger und lieblicher, doch erbarlicher und züchtiger
und nützlicher Esopus werde, des man one Sünde lachen und
gebrauchen könde, Kinder und Gesind zu warnen und unter-
weisen auff jr zukünfftiges Leben und Wandel, Daher er denn
von anfang ertichtet und gemacht ist.

UNd das ich ein Exempel gebe der Fabeln wol zu gebrauchen: Wenn ein Hausvater uber Tisch wil Kurtzweil haben,
die nützlich ist, kan er sein Weib, Kind, Gesind fragen, Was
bedeut diese oder diese Fabel? und beide, sie und sich darin
üben. Als die fünffte Fabel vom Hund mit dem Stück Fleisch
im Maul bedeutet, wenn einem Knecht oder Magd zu wol ist,
und wils bessern, so gehets jm wie dem Hund, das sie das gute
verlieren und jenes bessere nicht kriegen. Item, wenn sich ein
Knecht an den andern hengt und sich verfüren lesst, das jm

gehe wie dem Frosch an der Maus gebunden, in der dritten
Fabel, die der Weihe alle beide fras, Und so fort an in den
andern Fabeln mit lieb, mit leid, mit drewen und locken, wie
man vermag, One das[8] wir müssen das unser bei jnen thun.

[1] wohlüberlegtes Wichtigtun. [2] einrichten. [3] ziemlich alt. [4] säu-
bern. [5] anstößig, Ärgernis erregend. [6] Bordell. [7] Lebenslauf. [8] un-
beschadet *unserer* Bemühung in dieser Richtung.

Über *Luthers Interesse an der äsopischen Fabel* berichtet Mathesius in der 7. Predigt (a. a. O., S. 140 f.):

Weyl nun diß die artigst vnd subtilest weyse eine ist / bittere
vnd scharpffe warheyt / die sonst feindselig vnnd vnangenem
ist / also von grossen leuten auch inn die kinder / wie vberzuk-
kerten Wurmsamen vnnd Kellershals zu bringen / vnnd hoch-
berümpte leut offt mit solchen fabeln groß ding beyn Regen-

36  *Äsop wird verhaftet*

ten / Vnterthanen / Kind vnd Gesind außgerichtet / Hat vnser Doctor sein mühe vnnd arbeyt an den alten vnd verunreinigten Esopum legen / vnd seinen Deutschen ein vernewertes vnd geschewrts mehrlein buch zurichten wöllen / daran der zeyt vil guter leut ein sonders gefallen trugen. Denn als Er Philippus vnsers Doctors Vorrede vnd fabeln sihet / bit er jn er wölle fortfaren / vnd diß buch verrichten / er wölle jm tausent gülden bey eim grossen Herrn, dem ers zuschreiben solle / darfür zu wegen bringen.

Aber weyl sich der teure Mann an der Biblia / neben vil predigen vnd schreiben / abgearbeyt / verblieb diß angefangene werck / welchs anfang gleich wol Magister Georg Rörer hernachmals inn den neundten theyl der Deutschen bücher Lutheri hat bringen lassen. Ob aber wol dieser nützliche Esopus nicht zum ende bracht / hat doch der Herr Doctor zuvor vnd hernach uber tisch vnd in seinen büchern / wenn er zumal vom Regiment vnnd Hofwesen pflegte zu reden / der alten fabeln vnnd vernünfftigen sprichwörter / so inn Deutsche sprach auß den fabeln kommen sein / gerne gebrauchet.

# Von Äsop

Woll *reden. Sexta legit praefationem suam in Aesopum,
quem librum mirifice commendavit, qui esset plenus doctri-
nae et morum et experientiae. Deinde addidit:* Wer wol reden
kann, der ist ein man. *Nam sermo est sapientia, sapientia est
sermo.* Reden kombt vom raden, *a consilio;* sonnst heist gewaschen vnd nich geredt. *Ita Aesopus loquitur, non garrit;
proponit rem et veritatem sub forma stulti mori.*[1] Noch mus
er druber verfolgt werden.

*Von Aesopo.* Da D.M.L. seine Vorrede uber den Aesopus seinen Gästen las, lobete er uberaus sehr dasselbe Buch, daß es
voll feiner guter Lehre, Sitten, Zucht und Erfahrung wäre,
und sagte: »Wer wol reden kann, der ist ein Mann. Reden
kömmt von rathen, *a consilio*; sonst heißt es gewaschen, und
nicht geredt. Also redt Aesopus, wäscht nicht; legt ein Ding
und die Wahrheit für unter einer andern Gestalt, als Fabeln,
wie ein Narr. Noch muß er drüber verfolget werden.«

[1] Am 6. (November 1538) las er seine Vorrede zum Äsop und empfahl dieses
Buch sehr, das reich sei an Lehre, Sitten und Erfahrungen. Dann fügte er hinzu (...).
Denn Rede ist Weisheit, und Weisheit ist Rede. (...) So redet Äsop, er schwätzt
nicht; er trägt die Sache und die Wahrheit unter der Gestalt des törichten Narren
vor.

# Esopus

Darumb wer im weltlichen Regiment wil lernen und klug werden, der mag die Heidnischen bucher und schrifften lesen. Die habens warlich gar schön und reichlich ausgestrichen und gemalet, beide mit sprüchen und bildern, mit leren und exempeln, Aus welchen auch die alten Keiserlichen rechte komen sind. Und ist mein gedancken, das Gott darumb gegeben und erhalten habe solche Heidnische bücher als der Poeten und Historien. Wie Homerum, Virgilium, Demosthenem, Ciceronem, Livium Und hernach die alten feinen Juristen (gleich wie er auch andere zeitliche güter unter die Heiden und Gottlosen allezeit gegeben und erhalten hat), das die Heiden und Gottlosen auch haben solten jre Propheten, Aposteln und Theologos oder Prediger zum weltlichen regiment, wie auch S. Paulus der Cretenser Poeten, Epimeniden, jren Pro-

*37 Äsop wird vom Felsen gestürzt*

pheten nennet, Tit. 1. Und Mattheus die Heiligen drey Könige Magos nennet, darumb das sie der Araber Priester, Propheten oder Lerer waren. Also sind bey jnen Homerus, Plato,
Aristoteles, Cicero, Ulpianus etc. gewest, wie bey Gottes
volck Moses, Elias, Esaias etc. Und jre Keiser, Könige, Fürsten, als Alexander, Augustus etc. sind jre Davides und Salo-
mones gewest.

(...) Und ich wil ander bücher jtzt schweigen, wie kündte
man ein feiner buch jnn weltlicher Heidnisscher weisheit machen, denn das gemeine, albere kinderbuch ist, So Esopus
heisst? Ja, weil es die kinder lernen, und so gar gemein ist,
mus nicht gelten, Und lesst sich jder düncken wol vier Doctor
werd, der noch nie eine fabel drinnen verstanden hat.

# Äsops Fabeln

*Woher die schönen Fabeln Aesopi kommen sind, und was sie verursachet hat.* »Ich halte, daß der schönen Fabeln etliche daher kommen sind: als der grausame Tyrann, Kaiser Julianus, ein Mammeluck und verläugneter Christ, ernstlich im Kaiserthum verbot, die heilige Schrift und Gottes Wort offentlich zu lehren, predigen und zu bekennen, da waren zween fromme Bischofe (wie in der Kirchhistorien stehet), die worden Schulmeister und lehreten die jungen Knaben in den Schulen; die haben mit solchen Fabeln gespielet, mit verdackten und verblümeten Worten sie unterrichtet.«

# Aesopi commendatio und Vom Nutzen der Fabel

I. *Aesopi commendatio. Aesopi fabulas vehementer lauda-
bat: Dignas esse, ut transferrentur et in iustum ordinem et
classes redigerentur; esse enim librum non ab uno homine
compositum, sed a multis multorum saeculorum hominibus
diligenter esse scriptum. Ideo valde utile esse, ut quis illum
optime translatum iusto ordine statueret. Graves historias in
primum librum, quae sententiosae sint et vetustate redolent,
utiles reipublicae, esse congregandas: Deinde concinniores in
alterum librum, reliquae in tertium seponendae. Et Dei pro-
videntia factum est, quod Catonis et Aesopi scripta in scholis
permanserunt, nam uterque liber est gravissimus; hic verba et
praecepta habet omnium utilissima, ille res et picturas habet
omnium iucundissimas. Si moralia adhibeantur adolescentibus, multum aedificant. Summa, post biblia Catonis et
Aesopi scripta me indice sunt optima, meliora omnium philosophorum et iuradicentium lacera sententia, sicut Donatus
est optimus grammaticus.*

II. *Deinde recitavit aliquot fabulas graves:*
   *1. De lupo et ove.* Der wolffe wold dem schefflein zu: Du
hast mir das wasser getrubt! *R⌊espondit:* Trawen nein, stehestu doch vber mir. *Simplicissime res ipsa se excusat.* Du hast
mir die weide fur dem walde abgehuttet! *R⌊espondit:* Hab
ich doch keine zehene nicht, bin noch jungk. *Tertio:* Dein
vater hot ein aldes mit mir! *R⌊espondit:* Was magk ich des?
*Tandem lupus erumpit:* Sei so klugk, als du wilst, dich zuent-
schuldigen, ich mus dennoch fressen.
   *2. Aliud exemplum, de ingratitudine: De lupo et grue.
Lupo agnum devoranti os in collo illius restitit. Implorans
gruem, ut ipse suo longo rostro os ex ipsius gutture amoveret.
Quo facto grus praemium petiit. R⌊espondit lupus:* Sal ich

dir noch lonen? Das dich S. Velten ankomme! Du solst nach mir dancken, das ich dir nicht habe den hals ab gebissen.

3. *Alia fabula, ubi ius et vis: De leonina societate. Leo cum lupo, asino et cane cervam capiens partem petiit. Sed lupus famelicus in quatuor aequales partes distribuens a leone est iugulatus;* der zock im die haudt vber die ohren. *Videns hoc asinus omnes quatuor partes leoni tribuit. Interrogavit leo:* Wer hat dich diese teilung geleret? *R⌊espondit:* Der doctor im rothen bereidt! *Demonstrans ad lupum dilaceratum.*

*Felix, quem faciunt aliena pericula cautum!*

4. *Alia fabula: Non ubique omnia esse dicenda! Leo omnia animantia invitavit in suam speluncam malo olentem. Interrogans lupum, quomodo oleret? Ille dixit:* Es stinckt. *Deinde asinus adulari cupiens dixit:* Es reucht wol. *Vulpes tertio interrogatus dixit:* Ich habe den schnuppen. *Nonne apta proverbialis est responsio?* Ich habe den schnuppen, *id est, non licet quaecunque dicere.*

38 *Tiere vor der Höhle des Löwen*

39 *Zwei Gesellen und Bär*

5. *Contra temeritatem. Alia fabula contra praesumptio-nem et temeritatem: Mercator quidam a venatore emit* behr-heute. Der jeger hatte ir nur 12 vnd vorkaufte im 13; do ers im geweren solde, furet ehr ihn zu eynem behre: Do hast sie! *dixit. R⌊espondit ille:* Uberantworte sie mir. Do er den beh-ren stechen wolde, ergreif in der behr, zug im die haud vber die ohren vnd beys in yn ein ohre *abiens; venit ille ex arbore, quaesivit:* Was sagt dir der behr ins ohr heimlich? *R⌊espon-dit: Consuluit mihi,* ich solde nicht 12 heute fur 13 vorkeuf-fen.

III. *Nutz der Fabeln Aesopi.*
Doctor Martinus Luther lobete ein Mal sehr die Fabulas Aesopi, und sagte: »man sollte sie verdeutschen, und in eine feine Ordnung bringen, denn es wäre ein Buch, so nicht Ein Mensch gemacht hat, sondern viel großer Leute haben zu je-

der Zeit in der Welt dran gemacht. Und es ist eine sonderliche Gnade Gottes, daß des Catonis Büchlein und die Fabeln Aesopi in den Schulen sind erhalten worden. Es sind beide nützliche und herrliche Büchlein. Der Cato hat gute Wort und feine Praecepta[1], so sehr nütze sind in diesem Leben; aber Aesopus hat feine, liebliche *res et picturas; ac si moralia adhibeantur adolescentibus, tum multum aedificant*.[2] Und als viel ich urtheiln und verstehen kann, so hat man nächst der Bibeln keine bessere Bücher, denn des Catonis *scripta*, und die *Fabulas* Aesopi. *Meliora enim sunt scripta ista, quam omnium Philosophorum et Iuristarum laceratae sententiae. Ita Donatus est optimus Grammaticus.*«[3] Und sagte Doctor M. Luther drauf die Fabel von dem Wolf und Schaf. Item, diese lustige Fabel, *cuius Morale est: Non omnia ubique dicenda esse*.[4] Denn der Löwe hatte viel Thier zu sich in die Höhle, oder in sein Loch und Wohnung erfodert, darinnen es gar ubel roch und stunke. Als er nun den Wolf fragte, wie es ihm gefiele in seinem königlichen Hause oder Hoflager? Da sprach der Wolf: O es stinkt ubel hierinnen. Da fuhr der Löwe zu, und zuriß den Wolf. Darnach, als er den Esel fragte: Wie es ihm gefiele? und der arme Esel sehr erschrocken war uber des Wolfs Tod und Mord, da wollte er aus Furcht heucheln, und sprach: O Herr König, es reucht wol allhier. Aber der Löwe fuhr uber ihn her und zureiß ihn auch. Als er nu den Fuchs auch fragete: Wie es ihm gefiele, und wie es röche in seiner Höhle? da sprach der Fuchs: O ich hab jtzt den Schnuppen, ich kann nichts riechen. Als sollt er sagen: Es will nicht thun, daß man alle Ding nachredet; und wurde mit anderer Leute Schaden klug, daß er sein Maul hielt.«

Darnach erzählete D.M. Luther eine andere Fabel, *contra praesumptionem et temeritatem*[5], und sagete: »daß einer hätte eine Haut von einem Bären gekauft und bezahlet gehabt, ehe denn der Bär gestochen und gefangen wäre gewesen.« Darauf D. Luther sagete: »Man solle den alten Rock nicht eher wegwerfen, man habe denn einen neuen.«

I. Empfehlung des AESOP. Er lobte lebhaft die Fabeln des Aesop: Sie seien es wert, daß man sie übersetze und in eine angemessene Ordnung und in Gruppen einteile; das Buch sei nämlich nicht von einem einzigen Menschen verfaßt, sondern von vielen Menschen in vielen Jahrhunderten sorgfältig aufgeschrieben worden. Daher sei es nützlich, daß einer dieses Buch sehr gut übersetze und in die angemessene Ordnung bringe. Die gewichtigen Erzählungen, die gedankenreich seien und nach alter Erfahrung duften und nützlich für die Gemeinschaft seien, müßten im ersten Buch zusammengefaßt werden. Dann müßte man die kunstvolleren im zweiten und die übrigen im dritten Buch aufbewahren. Und Gottes Vorsehung bewirkte, daß die Schriften des Cato und des Aesop sich in den Schulen erhielten, jedes der beiden Bücher ist nämlich sehr gewichtig; dieser (gemeint sind die Disticha moralia des sog. Dionysios Cato) bietet die allernützlichsten Worte und Lehren, jener die allerliebsten Sachen und Bilder. Wenn deren ethischer Gehalt den Jugendlichen nahegebracht wird, leisten sie viel. Kurzum, nach der Heiligen Schrift sind die Schriften des Cato und des Aesop meines Ermessens die besten, besser als die beißenden Streitgespräche aller Philosophen und Rechtsgelehrten, sowie Donatus der beste Grammatiker ist. (Der röm. Grammatiker Aelius Donatus lebte um 350 n. Chr. und schrieb zwei im Mittelalter viel benutzte Grammatiken (›ars minor‹ und ›ars maior‹). Nach ihm wurde die lat. Elementargrammatik als ›Donat‹, ein Verstoß gegen sie als ›Donatschnitzer‹ bezeichnet.)

II. Alsdann las er einige bedeutende Fabeln vor:

1. Von Wolf und Schaf. (...) Es antwortete (...) Der Sachverhalt spricht ganz einfach für sich. (...) Schließlich stieß der Wolf heraus (...)

2. Ein anderes Beispiel, von der Undankbarkeit: Von Wolf und Kranich. Dem Wolf, als er das Lamm verschlang, blieb ein Knochen davon im Hals stecken. Er flehte den Kranich

40 *Löwe und Maus*

an, daß er selbst mit seinem langen Schnabel den Knochen aus dem Hals entferne. Nachdem dieser das getan hatte, begehrte der Kranich eine Belohnung. Der Wolf antwortete (...)

3. Eine andere Fabel, von Recht und Gewalt: Von der Löwen-Gemeinschaft. Der Löwe fing mit dem Wolf, dem Esel und dem Hund einen Hirsch und forderte seinen Teil. Aber der hungrige Wolf teilte in vier gleiche Teile und wurde vom Löwen getötet. Der zog ihm das Fell über die Ohren. Als dies der Esel sah, teilte er alle vier Teile dem Löwen zu. Fragte der Löwe: Wer hat dich diese Art des Teilens gelehrt? Er antwortete: Der Doctor im roten Barett. Dabei zeigte er auf den zerfleischten Wolf. Wohl dem, den fremde Gefahren vorsichtig machen!

4. Eine andere Fabel: Man muß nicht überall alles aussprechen! Ein Löwe lud alle Lebewesen in seine übel riechende

Höhle ein. Er fragte den Wolf, wie riecht es? Jener antwortete: Es stinkt. Hierauf, begierig sich anzubiedern, sagte der Esel: Es riecht gut. Der Fuchs, an dritter Stelle gefragt, sagte: Ich habe Schnupfen. Ist das nicht eine passende, sprichwörtliche Antwort? Ich habe Schnupfen, das heißt, man darf nicht immer alles sagen.

5. Gegen die Leichtfertigkeit. Eine andere Fabel gegen die Anmaßung und die Leichtfertigkeit: Ein Kaufmann kaufte von einem Jäger Bärenhäute (...) sagte er. Jener antwortete (...) und lief weg; jener kam vom Baum herunter und fragte (...) Er antwortete: Er gab mir den Rat (...)

III. Anmerkungen

[1] Lehren. [2] Sachen und Bilder; und wenn deren ethischer Gehalt den Jugendlichen nahegebracht wird, leisten sie viel. [3] Besser nämlich sind diese Schriften als die beißenden Streitgespräche aller Philosophen und Rechtsgelehrten. So ist Donatus der größte Grammatiker (...) [4] deren Lehre lautet: Man muß nicht überall alles aussprechen. [5] gegen Voreiligkeit und Unbesonnenheit.

# Luthers Sprichwörter-
sammlung

1. Art gehet vber küñst
2. Da steckts
3. Jst lange nicht zum bad gewest
4. Gute schwymer ersaůffen gern
5.       klymmer fallen gerne
6. Es sind Wort
7. Die gelerten die verkereten
8. Es ist ym yns maůl komen
9. Wer weis wer des andern schwager ist
10. Der weg gehet fur der thur
11. Mancher vbel von weibern redet
    Weis nicht Was sein mutter thet
12. Lessch mir den reym aus
13. Berg ab seuberlich
    Berg an leret sichs selbs
14. Er ist ein hund wenn er zagel hett
15. Er furcht sich fur seinen [eigen] staren
16. Der hymel wird auff dich fallen
17. Er Reÿt
18. Auff den esel setzen
19. Ein guter anheber ist aller ehren
20. Zwey sorgen mehr denn eiñs
21. Viel hende machen leicht erbeit
22. Zittern hilfft nicht fur den tod
23. Trew erbeiter, beten zwifeltig
24. Herrn gnade,    April wetter
    Frawen gonst
25. Wer was eigens hat greiff drein wie eine saltzmeste
26. Ein boser ris ynn ein gut tuch
27. Finster kirchen liechte hertzen
    Helle kirchen tunckel hertzen
28. Ein offenbar lugen ist keiner antwort werd
29. Wer vber sich hewet dem fallen die span ynn die augen
30. Es ligt an den wolffen nicht das die pferde / hunde
    sterben

31. Der hund hat ledder fressen
    Wenn man einez zu wil
32. Ein sache von eim alten zaun brechen
33. Wem das kleine verschmahet wird das grosser nicht
34. Spiel wil augen haben
35. Der katzen spiel / ist der meuse tod
36. Were mirs am rock / so wolt ichs wol abwasschen
37. Ein man kein Man
38. Einem zu enge dreyen zu weit zweyen gerecht
39. Wenn der strick am hertisten hellt so bricht er
40. Ein mal ehre
    Zwey mal zu seere
    Dritte mal bezale
41. Mag sachte, was do hilfft
42. Es ist besser ichts denn nichts
43. Nicht ist ynn die augen gut
44. Mag sachte was ein man zieret
45. Gerat wol [korn] pfeiffe
46. Wer fleucht den iagt man
47. Wer den anden iagt, wird auch mude
48. Saŭr macht essen
49. Auff rosen gehen
50. Narren sind [auch] leute aber nicht wie ander leute
51. Jhenest des berges sind auch leute
52. Curt ist auch bose
53. Ich auch / sprach der hund
54. Henge ymer hiñ
55. Hut dich / mein pferd schleht dich
56. Grosse narren grosse schellen
57. Alber hat gefiddelt
58. Er ist alber / Batt ynn hosen
59. Es bornt horn
60. Die beschiede hündlin fressen die wolff gerne
61. Der wolff frisset kein zil
62. Der wolff frisset die gezalte schaff auch

63. Alte schult rüstet nicht
64. Dem bier ist recht gegeben
65. Jung gewon alt gethan
66. Sorgest fur vngelegte eyer
67. Eine krahe hack der ander kein auge aus
68. Der wolt gerne scheissen wenn er dreck ym bauche het
69. Scheis ynn die bruch vnd henge sie an den hals
70. Sein dreck stinckt auch
71. Es wil dreck regen
72. Mein brod ist gebacken
73. Wo herrn sind, da sind decklaken
74. Wers kan dem kompts
75. Aber fest
76. Es ist vieh vnd stal
77. Gros geschrey und wenig wolle
78. Zeug macht meister
79. Gleich und gleich gesellet sich gerne zum koler
80. Gott ehre das hand werg dixit lictor ad Jüristam
81. Es regne aus so wirds schon wetter
82. Wer nyrn ist der wird nymer sat
83. Die heiligen zeichen gerne
84. Er gebe allen heiligen nicht ein tocht
85. Versenge mir die ruben nicht
86. Er nympt kein blat furs maul
87. Er lesst kein spin web fur dem maul
88. Es gehet vnter dem hutlin zu
89. Es gillt vber redens
90. Reucht meüse
91. Reücht den braten
92. Stiñckt [yhm] schwert eiñ ohr
93. Du hettest schier ein wolff erlauff
94. Ich mus han als hette mich ein hund gebissen
95. Es schmeckt nach dem fasse
96. Er hat den schnuppen
97. Heilige leute mussen viel leid

98. Ich mag yhr nicht   Sie sind $<$ saůr / schwartz

Ex fabula de $<$ vüis piris / testicülis Castoris

99. Hie ist muhe und erbeit verlorn
100. In solchem wasser feht man solche fiss
101. Fur dem hamen fisschen
102. In grossem wasser fehet man grosse / Im kleinen kleine fissche
103. Ein loser fisscher
104. Bleib daheymen mit deinen faulen fisschen
105. Stille wasser tieff
106. Was die alten thun / das lernen die iungen
107. An den lappen lern die hund ledder fressen
108. Wer gern tantzt mag man leicht pfeiffen
109. Er hat fynn yn der nasen
110. Er hat humel ym arse
111. Er hat gryllen ym kopffe
112. Lange siechen der gewisse tod
113. Lang ist nicht ewig
114. Zwisschen zweyen stulen nidd' sitzen
115. An hymel halten
116. Schemel auff die benck stellen
117. Huner den schwantz auff bind
118. Fersen gellt geben
119. Hasen panîer
120. Wie der hase bey seinen iůngen
121. Vogel singt wie der Schnabel gewachsen
122. Nymer mehr
   dixit· krehet ein küe wie ein han
123. Armut wehe thut
124. Die glock ist gegossen
125. Samle dich glockspeise / der teuffel wil ein morsel giesen
126. Das redlin treiben
127. Das spiel wil sich machen

128. Zu pfingsten auff dem eys
129. Riñcken giessen
130. Blewel schleiffen
131. Im Schalcks berge hawen
132. Den boltzen Fiddern
133. Er hat / wie ihener die amseln
134. Den ahl beym schwantz
135. Brey ym maůl
136. kalt und warm blasen
137. Aus holem topffen reden
138. Sich losen   Er hat sich geloset
139. Sich ausdrehen   entschuldigen
140. Fedder leser
141. oren klauber
142. ohren bleser
143. ohren melcker
144. Hund fur dem lawen schlahen
145. Wers gluck hat furet die braůt heym
146. Wer ehe kompt der melet ehe
147. Wer es reůcht / aůs dem es kreůcht
148. Frawen sol man loben es sey war odder gelogen
149. Wer die nasen ynn alle winckel steckt / der klemmet sich gerne
150. Guter rat / kam nie zu spat
151. Er bornet sich $<$ weis / helle
152. Er hat sich verbrant
153. Eben heis / bornet nicht
154. Er hat sich beschissen
155. Er fellt vber den hůnd
156. Kan widder ⌈getzen⌉ noch eyer legen
157. Wer nicht singen kan der wil ym'
158. Der esel hebt zu hoch an
159. Hinaůs siñgen
160. Hastu eingebrockt / du müsts aussessen

161. Er taug fur alle hŭnde nicht
162. Rüme dich rüplin / dein Vater ist ein kolwürm
163. Wie du wilt vogelin / wiltu nicht essen
164. Taus es hat nicht
    Ses zinck gib nicht
    Quaterdrey halten vns frey
165. Aus den aügen / aus dem hertzen
166. Stos dich nicht
167. Man keñnet den fogel bey den feddern̄
168. Hŭnde hiñcken
    frawen wiñcken
    kauff man schweren
    da sol sich niemand [an] keren
169. Wer hellt wenn er hat
    Der findet wenn er darff
170. Hüt dich fur kan nicht
171. Hüt dich wenn der blode kun wird
172. Wenn die alten hunde bellen sol man hinaus sehen
173. Wo die huñde bellen / ists dorff nicht wust
174. Aus lerer tasschen [ist] bose gellt zelen
175. reuff mich In der hand
176. Wenn man das ferkel beŭt / sol man den sack zu halten
177. Hut dich fur den katzen
    Fornen lecken / hinden kratzen
178. Hut dich fur dem vogel / der den schnabel auff dem
    rucken tregt
179. Fewr bey mir holen
180. Hunde seer bellen / die beissen nicht
181. Du wirst den wirt dort auch da heym finden
182. Wer nicht brod essen mag der wandere
183. Auff nadlen gehen
184. Es ist ein $< {{\rm sack} \atop {\rm balck}}$
185. Am ramen / vnd anschlegen [gedancken] gespannen
    tuch ⌊gehet viel abe

184

186. Got gebe faulen henden das falübel
187. Jůcket dich die hawt
188. Ein messer behellt das ander ynn der ⌐scheiden
189. Die laüs ist ynn grind komen
190. Jnn baürn gehort habber stro
191. Wenn man den baürn vnter die banck steckt / so ragen
    doch die bein erfur
192. Der man ist an das schwerd gebund
193. Klein leuten ligt der dreck nahe
194. Du machsts so vneesse
195. Ein arm man sol nicht reich sein
196. Nacht frist / iar frist
197. Ein willig pferd nicht zu seer reiten
198. Wenig mit liebe teilen
199. Blind man    arm man.
200. Ist besser teydingen ausser denn ym stock
201. Das stund wol ym brieffe
202. Das laůt
203. Es gieng yhm bey dem kopf hin.
204. Mütlin küelen
205. Er ist ein Seycher $<$ lůn̂tros / hümpler $>$ Schelm
206. An armen hoffart wisscht der teufel den ars
207. Ich muste susse singen
208. Ich muste lange harren
209. Ein ander her / ders besser kan
210. Kuckuc rufft sein eigen namen aůs
211. Ein locherícht sachen
212. Es wil yhm nicht zawen
213. Unrecht gut    Drůhet nicht
214. Kompst wie der hagel ynn die stoppel
215. Im Winter hat ein arm man so wol ein frisschen trůnck
    odder kalten keller als der reiche
216. Kan̂ nicht drey zelen
217. Kan nicht ein hünd aus dem ofen locken

185

218. Er beisst des füchses nicht
219. Die saw hat ein pañtzer an
220. Thü dich zün leüten so geschicht dir guts
221. Wenn ich das nicht kundte were ich ein schlymmer schüknecht
222. Man kundt yhm das heubt ym Morser nicht treffen so klug ist er
223. Gehestu aüff dem heübt?
224. Gehstu auff den oren?
225. Er gehet auff eyerñ
226. Wie der krebs gang
227. Wer des feürs darff / suchts ynn der asschen
228. Es ist ein guter zünder
229. Wer ñicht zu reiten hat / der mag gehen
230. Dir ist gut gram zu sein / Hast nichts
231. Es ist nicht not die schaffe sengen Die wolle gilt wol gellt
232. Kutzel dich nicht selbs    du lachest dich zu tod
233. Es ist nicht rat / Es ist vnrat
234. Man boygets so lange bis es bricht
235. Er hat einen sparren verloren
     Alte hunde sind nicht gut bendig zu machen
236. Colla Canū veterū nolünt admittere lora
237. Schuch drucken
238. Es mus ein mager brate sein dar nichts von ab tropfen
239. Ein gute griebe auff meinen kol
240. Das kam recht ynn die kuche
241. Wes die kǔe ist / der neme sie bey dem schwätz
242. Wo taǔben siñd / da fliegen tauben zu
243. Wem das wenige verschmaht wird etc.
244. Wer eiñen pfennig nicht acht / wird keines guld herr
245. Wer den schaden hat / darff fur spott nich
246. War mir liebet / das leydet mir niemäd
247. Eiñ freǔndlich angesicht / deckts alles

248. freundlich wirtt / das beste gericht
249. Laṅgsam sitzt vbel
250. Frůe aus vnd ynn die herberge
251. Hat frissche beiñe / aber stehen ym maŭl
252. Mein synn der beste
253. Ich thet das beste
254. Was wol reůcht bin ich
255. Das maŭl schmieren
256. Die Heñde schmieren
257. Sind wir doch auch mit ym schiff
258. Ich wil dir den teŭfel braten
259. Wers erharren kunde / Er wurd alles gut
260. Wer ym rohr sitzt / schneit die beste pfeiffe
261. Dreck lesscht auch feŭr, Bescheisst aber die brende
262. Auff ein affen schwāatz
263. Ich sehe dirs an dein aŭgen an
264. Er hat nie kein wasser betrubt
265. Wie der hünd on flohe vmb S. Joh.
266. Wenn man den baürn flehet / wechst yhm der baŭch
267. Todten scheissen tragen
268. Tieff ein reissen
269. Stŭck vmb stuck
270. Eiñs vmbs ander, keins Vmbsonst
271. Auff dem brett bezalen
272. Barüber bezalen
273. Wasser vber den korb gehen
274. Faŭle merckt werden die besten
275. $\text{Kleine} \atop \text{Grosse}$ > kiñder < $\text{Kleine} \atop \text{Grosse}$ > sorge
276. Leffel aŭffheben Schussel zu tretten
277. Wer zŭrñet / wird schwartz $\text{facie} \atop \text{faŭore}$
278. Das ist hie ein gemein essen
279. Wo hencken recht ist / da ist steupen kirmesse
280. Vmbkeren das beste am tañtze

281. Ein saŭr / scharff / wind ist das /
282. Hie hatts scharff gewebt
283. Es geht yhm saŭr ÿnn die nasen
284. Der nasen ymer nach
285. Er wil ymer den holtz weg
286. Bleibt nicht auff der bañ
287. Ich hab meine kleider alle an
288. Du wilt mich lieb haben
289. Wilt mich geheyen
290. Hast mir ynn ars gesehen / siehe widd'
291. Gegen dem baům sol [man] sich neygen
      dauon man schatten hat
292. Auff dem kropchen sitzen lassen
293. Schinpfchen lege dich
294. Schimpff wil sich machen
295. Du Schimpffest wi ·N· mit seiner mutter
      Sties yhr scheit ynn ars /
296. Schertzest wie ein beer
297. Jünge hunde mussen talmen
298. Hat das gemein gebet verloren
299. Ich wil yhm bose briefe nach schreiben
300. Hat das gemeiñ geschrey verloren
301. Stehet mit allen schanden
302. Er darff der mühe nicht
303. Lachen verbeissen
304. Ein lieb sucht das ander
305. Viel ist ehrlich
      Wenig ist Gottlich
306. Kopp vnd teyl
307. Schopff vnd Schwantz
308. Jnn einen saŭrapffel beissen
309. Bissen vber macht essen
310. Verbeyssen
311. Gott ist der narren furmŭnde
312. Durch den korb fallen

313. Ein pflocklin dafur stecken
314. Ein riegel dafur zihen / Schieben
315. Wischt das maul vnd geht daüon
316. Wie kompt das zu marckt
317. Er kans nicht zu marckt bringen
318. Es ist nicht essens schuld sondern der grossen truck
319. Die allten narren die besten
320. Alder hilfft nicht fur torheit
321. ZEIT (nō labor) macht hew
322. Zeit hat ehre
323. Das futter sticht dich
324. Es ist yhm zu wol
325. Wen der ·T· schenden wil, henget er den

        mātel  $^{umb}_{·i·}$  fürs caput

    sic religiosos fallit specie pietat hereticos
326. War umb schlug der teufel seine mutter
327. Gute meister feylen auch
328. fellet doch ein ros auff vier fussen
329. Ein Wort ist an kein keten gebunden
330. Ein Wort ist kein pfeil
331. Er kan verhoren   wil weise werd
332. Aus an galgen
333. Aus an hartz nach stützen lauacris Vasis
334. Da wil ehre aus werden
335. Dem sack ist der boden aus
336. Das geht von hertzen Vel Nicht
337. Es añet mir
338. Mein hertz sagt mirs
339. Es ligt myr auff dem hertzen
340. Er frisset ⌈sich⌉ drumb
341. Sie beissen sich mit einander
342. Ich habs ym synn, hett ichs ym beutel
343. Es geht mir yns hertz
344. Das schmeckt

345. Das hertz empfellet yhm

346. Er hat < $\begin{array}{c}\text{Ein}\\\text{kein}\end{array}$ hertz

347. Was were dreck wenn er nicht stüncke

348. Er leüget   das stinckt

349. Er stincket

350. Das ist das ende vom liede

351. Kopff auff setzen

352. Horner auff setzen

353. Katze das beste vihe

354. Spitz zünglin

355. Schwach gespannen

356. Den T $\Big\langle\ \begin{array}{l}\text{an die wand}\\\text{vber die thur}\\\text{zu gefatter bitten}\end{array}\ \Big\rangle$ malen
357.

358. Was die tauben erlesen hetten

359. Dich wird nach der sonnen frieren

360. Es ist aus das man speck auff kolen bret

361. Jst nicht not speck auff kolen braten, das fett treuff in die assche

362. Wer mit eülen beitzt fehet meüse

363. Wer nicht kalck hat mauret mit dreck

364. Fisschen auff treügem lande

365. Aus dem stegreiff sich neeren

366. Wer viel feret / mŭs viel wagen haben

367. Far hin wirfft nicht vmb. in rebelles dicit'

368. Tantz iglicher auff seinen fussen / Stosst er sich / wirds wol fulen

369. Wechsel ist kein raub

370. Tret keiner den andern

371. Meuse dreck vnter pfeffer

372. Wer sich vnter die trebern menget / den fressen die sew

373. Culex de Camelo

374. Musca ⌈in⌉ Curru

375. Kurtz angebunden

376. Kurtz verhawen
377. Das maul damit wasschen
378. Die karten mengen
379. Das Spiel verderben
380. Jns Spiel komen
381. Jch sünge dir nicht vom habber sack
382. Kuche vber den zaün, kuche herwidder

$$\text{hellt gute} < \frac{\text{gefatterschafft}}{\text{nachbarschafft}}$$

383. Triebe nicht eine gans vber den weg
384. Auff einen trunck treten
385. Viel zu lange geschlaffen
386. Es ist so hin
387. Hin ist Hin
388. Sonn yn den ars scheinen
389. Er ist nase weise
390. Horet das gras wachsen
391. Bescheisst sich ynn der weisheit
392. Eine kappe schneiten
393. Im maule mehren lassen
394. Bey der nasen furen
395. Kurtz vnd gut
396. Schinden vnd schaben bis auff die bein / auff den grat
397. Horchst wie ein saw die ynns wasser seicht, pfercht
398. Du soltest nicht ehr rede die küe fiste denn
    Denn soltestu sprechen liebe gros mutteR
399. Ja ein dreck auffs maul
400. Ja es war ein dreck
401. Ist doch wol ehe so krum holtz zur heyen word
402. Es krümpt sich bald / was ein hacken werd wil
403. Er ist Deñisch ptinax
404. Er hat ein zehe haut
405. Er lesst die finger gern ankleben
406. Er ist mit der sylbern buchsen geschossen
407. Er neme gellt vnd liesse holtz auff yhm hawen

408. Er durfft ein land verraten
409. Wer bey den wolffen sein wil / mus mit yhn heülen
410. Gelt ist sein herr
411. Pfennig sol mein herr nicht sein / ynn dena͞
412. Das ist sein hertz
413. Man muste dirs furkewen
414. Man muste dirs einstreichen
415. Wirdt sich fur leide bescheissen
416. Ein schwerer vogel
417. Ochsen am berge stehen
418. Grosser vogel mus ein gros nest haben
419. Las die sporen vertrieffen
420. Eine Dreck Scheis kethe
421. Feur ym arse
422. Speck ym nacken
423. Du bist der rechter klugelin zeümest das pferd ym arse
424. Kanst an der wigen sehen / wenn sich das kind beschis-
    sen hat
425. Du bist so klug als polter wolt den ars wisschen vnd
    brach den daumen zwey
426. Es zawet dir wie das pissen widder den wind
427. Schreibst wie der weg nach Rom gehet
428. ⟨Klinget wie ein fortz ym bade⟩
429. Es wil hund oss malen molere quod canis edit
430. Klinget als wenn man dreck mit peytzschen hewet
431. Gewis wie ein fortz ynn der reussen
432. Feucht wie ein bade – ym b s t f
433. Weis nicht wo er daheym ist
434. Wie ein katze vmb den brey
435. Das kurtze mit yhm spielen
436. Der peltz ist wol verkeufft
437. Er schleht yhn ynn den nacken
438. Er hat yhn hinder den ohren
439. Hat ein scheitt ym rucken
440. Ein weiser man thut kein kleine torheit

441. Es ligt an eym guten ausleger
442. Torheit macht erbeit
443. Torlich wort bringen torlich werck
444. Gedult behellt vnschuld
445. Trewme sind lugen / Wer yns bette scheisst das ist die warheit
446. Er hats am griff wie ein fiddeler
447. Ein henne scharret mehr weg denn hanen erzu scharren
448. Alte $<$ $\genfrac{}{}{0pt}{}{\text{kühe}}{\text{zigen}}$ lecken gerne saltz
449. Ritter on muhe / Kalbfleisch on geel bruhe
450. Nymer ynn einem stall stehen
451. Was die kinder sehen das wollen sie han
452. Besser die iǔĝen weinen denn die alten
453. Am besten der beste kauff
454. Heis fur dem kopff
455. Hat ein heisse stirn
456. Er ist vnter den hünern gesessen
457. Ey ist kluger denn die henne
458. Gut ding wil weil haben
459. Verraten vnd verkaufft
460. Wens ende gut ist / so ists alles gut
461. Mancher geneǔsst seiner mutter vnd nicht seines Vaters
462. Was sol narren das gellt Sie legens ynn die kacheln vnd verbornens
463. Zween harte stein malen nicht
464. Jm Sacke keuffen
465. Jm Sacke verkeuffen
466. Er weis wie eym schalck vmbs hertz ist
467. Wenn das kindlin sein willen hat so weinets nicht
468. Nicht vnter die banck stecken
469. Kein blat fur das maul nemen
470. Kein Spin web fur dem maul wachsen
471. Er kan seiner ohren nicht erharren
472. Hart gegen hart

473. Schweren stein kan man nicht weit werffen
474. Zween hunde beissen einen
475. Er hat sich ynn der weisheit beschissen
476. Ein bube auffm ros
    Ein bubin auffm schlos
    Ein laus ym grind
    Sind drey stoltze ding
477. Leffel auffheben schussel zübrechen
    Wer ein ding nicht bessern kan der las das bose stehen
478. Vbel erger machen
479. Senffte wort harte straffe
480. Kunst gehet noch brod
481. Strecken nach der decke
482. Rewkauff Liebkauff Liṅckauff
483. Bistu da zu rissen
484.
485. Der teuffel < reit dich / ist dir ynn haren
486. Satan larvam induit sicut homines
    Deus abscondit faciem
487. Er hat das liebe brot semmel geheissen
488. Was nicht dein ist, das las ligen
489. Was dich nicht bornet das lessche nicht

# Anhang

# Quellennachweis und Kommentar

Ich zitiere nach der Weimarer Lutherausgabe WA: Werke, WA Br: Briefe, WA TR: Tischreden, WA Die deutsche Bibel: Bibelübersetzung. Durch eckige Halbklammer gekennzeichnet sind Wörter, die Luther über oder unter die Zeile schrieb. Die Schreibweise ist durchgehend bei a, o, u mit überschriebenem e in ä, ö, ü geändert.

## Etliche Fabeln aus Esopo

Übersicht und Quellennachweis (WA 50)
Druckfassung, HS 1 und HS 2

| | | | |
|---|---|---|---|
| Hahn und Perle | 455 | 440 | 448 |
| Wolf und Lamm | 455 f. | 441 + 444 f. | 449 |
| Frosch und Maus | 456 | 441 f. | 449 |
| Hund und Schaf | 456 | 442 | 450 |
| Hund im Wasser | 457 | 442 | 450 |
| Löwe, Rind, Ziege, Schaf | 457 | 442 f. | 450 f. |
| Löwe, Fuchs, Esel | 457 f. | 443 | 451 |
| Dieb | 458 | 445 | |
| Kranich und Wolf | 458 | 445 f. | |
| Hund und Hündin | 459 | 446 | |
| Esel und Löwe | 459 | 447 | |
| Stadtmaus und Feldmaus | 459 f. | 447 f. | |
| Rabe und Fuchs | 460 | 444 | |

I. Steinhöwel bezieht die Fabel von *Hahn und Perle* im Sinne der Tradition auf Äsop, auf diejenigen, die ihn lesen und nicht verstehen. Luther folgt ihm hier wie im narrativen Teil der Fabel. Der von Steinhöwel nicht näher bestimmte Nutzen der Fabel (»nüczlich«) wird in Luthers Epimythion entsprechend der Intention seiner Fabelbearbeitung auf »kunst und weisheit« verengt und diese Verengung durch das folgende

Sprichwort nochmals hervorgehoben. Der Bauer, der im Manuskript fehlt, steht synonym für »grobe leute« im Sinne von unwissende, ungebildete Menschen und ist nicht standesspezifisch zu verstehen. Luther »verdeudscht« den Äsop, wie es im Titel heißt, für »jederman wes Standes er auch ist«.

Bereits die ersten Sätze dieser Fabel von der Fabel zeigen im Vergleich mit der Vorlage die sprachliche Leistung Luthers. Steinhöwels Sprache ist schwerfällig und eng am Urtext. Luther spart aus, beschränkt auf das Wesentliche und wählt volkstümlich-anschauliche Bilder (»kot« für »unwirdige stat«). Aus Steinhöwels »gytiger« (für »cupidus«), das Luther zunächst mit dem farblosen »mancher« wiedergibt, ist in der Reinschrift ein Kaufmann geworden – offensichtlich in *sprachlicher* Anlehnung an das Reich-Gottes-Gleichnis von der kostbaren Perle (Matth. 13,45 f.), das in Luthers Übersetzung von 1522 (WA Die deutsche Bibel 6,66) lautet:

»Abermal ist gleych das hymelreych eynem kauffman der gutte perlen suchte, und da er eyne kostliche perlen funden hatte, gieng er hynn, und verkauffte alles was er hatte, unnd kauffte die selbigen.«

Ursprünglich hatte Luther für diese Fabel zwei ganz unterschiedliche Epimythien geschrieben. Im ersten bezog er sie auf die Juden, die Jesus als Messias ablehnten und kreuzigten. Es war erheblich mehr als nur »Takt- und Stilgefühl« (Neubauer 1891, S. 93), was Luther veranlaßte, diesen Text nicht in die Reinschrift zu übernehmen. Seine spontane Arbeitsweise, die gleichzeitige Bibelübersetzung, vielleicht auch das Lemma »Torheit« (Paulus predigte bekanntlich, daß das Wort vom Kreuz für die Juden ein Ärgernis und für die Heiden eine Torheit sei) hatte ihn vorübergehend zu einer Vermischung der Reiche verleitet, wie wir sie später in anderer Weise bei Chytraeus finden werden, der eine christliche Ethik mit weltlichen Fabeln zu schreiben versuchte.

Der Ansicht, daß dieser Abschnitt, der in der Reinschrift fehlt und von Rörer auch nicht in die Druckfassung über-

nommen wurde, »durch die Einführung des Kaufmanns erhalten« bleibt, vermag ich ebensowenig zu folgen wie der
Feststellung: »Im Bild von Kaufmann und Perle werden Welt-
weisheit, wie sie die Fabel bietet, und Gottesweisheit, wie sie
das Evangelium von Christus erschließt, zumindest eng miteinander verbunden, wenn nicht in eins gesetzt.« In der
Tischrede Nr. 6523 (vgl. S. 168 dieser Ausgabe / WA, TR
6,16), auf die Düwel / Ohlemacher (1983, S. 139 und S. 143)
in diesem Zusammenhang verweisen, versteht Luther die Fabel nicht als einen Ersatz für die verbotene Predigt. Treffend
dagegen erscheint mir das Urteil von Klaus Speckenbach
(1978, S. 211): »Die Sinnrichtung des Gleichnisses (nämlich
zu zeigen, daß der Kaufmann alles für das Himmelreich hin-
gibt) verfolgt Luther jedoch mit der Fabel nicht. Deshalb erscheint in der Druckfassung auch eine als Beispiel gedachte
Argumentationsreihe der Handschrift nicht mehr, weil hier
der Fabelsinn leicht als religiöse Unterweisung hätte mißver-
standen werden können.«

II. Bei der Fabel von *Wolf und Lamm* läßt Luther wie bei allen
Textbearbeitungen das Promythion weg und beginnt unmittelbar mit der Handlung. Daß er jedes Wort bedenkt, zeigt
bereits sein erster Satz. Er läßt »durstig« weg, da es für den
folgenden Disput und die anschließende Tat unwichtig ist,
und ergänzt ›on gefer‹ (im Sinne von: ohne Gefahr, weil weit
weg) – in Anlehnung an das von Steinhöwel nicht übersetzte
»e diverso« (entfernt; auf verschiedenen Seiten; vgl. dazu den
Holzschnitt aus dem Ulmer Äsop S. 31 dieser Ausgabe) der
lateinischen Vorlage. In der Reinschrift ergänzt Luther au-
ßerdem, daß der Wolf zu dem Schaf lief. Luther wählt die
Verkleinerungsform; er unterstreicht damit die Hilflosigkeit
und trifft den Disput besser.
    Das erste Scheinargument wird in Luthers Formulierung
zu einer echten Frage. Das Lamm ist nicht mehr »geduldig«
und gibt den Vorwurf zurück: »Du mochtest mirs wol trü-

ben.« Den anthropomorphen Kommentar läßt Luther weg und schließt gleich den nächsten Vorwurf an. Die Erwiderung des Lamms ist bei ihm reflektierter als bei Steinhöwel, da sie die Sippenhaft als Argument des Wolfs verdeutlicht (»wie sol ich meins Vaters entgelten?«). Bei der letzten Anklage ersetzt Luther das sprachlich falsche »auch« Steinhöwels durch »aber« und formuliert rhetorisch wirksamer.

Auf den vierfachen Wechsel von Rede und Gegenrede (actio und reactio) folgt bei Steinhöwel eine schwerfällige Beschreibung des Ergebnisses. Daß der Wolf zornig wird, wie Steinhöwel entsprechend seiner Vorlage schreibt, ist irreführend, könnte beim Hörer oder Leser den Eindruck erwecken, daß erst die Antwort des Lamms den Wolf zur Tat treibt, während sie doch von Anfang an geplant war und durch die Anklagen lediglich den Anschein des Rechts erhalten sollte. Luthers Formulierung ist brillant, vor allem in der Erstfassung ( ohne das mißverständliche »ausrede«), und zeigt bereits durch den Anfangspartikel (»Ey«) die lachende Gewalt, die auch auf den Schein des Rechts verzichten kann.

Die berühmte Fabel von *Wolf und Lamm,* die nicht nur in den alten Sammlungen vielfach statt der programmatischen Fabel von Hahn und Perle an erster Stelle steht (vgl. die zahlreichen Beispiele in: Dithmar 1988), hat Luther als einzigen Text dreimal bearbeitet. Im Manuskript findet man sie entsprechend der Vorlage an zweiter Stelle und dann nochmals ohne Überschrift und ohne das Lemma »Hass«, das dem Sinn der Fabel nicht gerecht wird, eingeschoben vor der Fabel vom Dieb. Bei dieser Variante nimmt Luther im narrativen Teil einige kleinere sprachliche Veränderungen vor und reduziert das Epimythion – unter der ungewöhnlichen Überschrift »Deutung« statt der sonst üblichen »Lere« (seltener »Diese Fabel zeigt«) – auf den einen Satz »Wenn man dem hunde zu wil, so hat er ledder fressen.« Dieses Sprichwort, das wir auch in Luthers Sammlung finden (Nr. 31), wird zwar der Aussage der Fabel nur bedingt gerecht, trifft sie aber immerhin noch besser als das ausführliche Epimythion in den anderen Fassungen Luthers. Hier ist bereits die wohl als Verständnishilfe gemeinte Ergänzung irreführend. Denn der Wolf bemüht sich, das Lämmlein ins Unrecht zu setzen, um seiner Gewalttat den Anschein des Rechts zu geben, aber sein Opfer behält – in einer für den Hörer oder Leser sehr überzeugenden Weise – Recht, obwohl es gefressen wird. Den im Manuskript ersten Satz des ausführlichen Epimythions (»gewalt gehet fur recht«) findet man bereits in Luthers Auslegung des Propheten Habakuk von 1526: »Darumb wil dieser spruch Habacuc ›Gewalt gehet uber recht‹ wol bleyben ynn der welt, Und ist auch ein gemein sprich wort, damit yederman klagt und schreyet uber gewalt.« (WA 19,361) Die folgende Klage aus Psalm 34,20, daß der Gerechte viel leiden muß, verknüpft Luther mit dem Sprichwort »eine Sache vom Zaun brechen« (im Sinne von: einen Streit mutwillig herbeiführen) und ergänzt die in seiner Sprichwörtersammlung (Nr. 31) vorausgehende Sentenz vom Hund, der das Leder gefressen haben soll.

Bei dieser aus Bibel und Sprichwortweisheit summierenden Arbeit entfernt sich Luther vom Sinn der Fabel und von seiner Vorlage. Vergleicht man die Erstfassung des Manuskripts mit der Reinschrift, so stellt man fest, daß Luther die Reihenfolge der Sprüche ändert und die pauschalisierende Feststellung »Der wellt lauff ist« voranstellt.

Das Fabelmotiv vom *Wolf und Lamm* hat Luther oft verwandt, beispielsweise in einer Predigt von 1535 gegen die Ketzer, die ihre Ketzerei Neuheit nennen (WA 41,240), oder gegen Zwingli (WA 23,78): »Es geht uns, wie dem schaff das mit dem wolfe zur trencke yns wasser kam, Der wolff trat oben, das schaff trat unden yns wasser, Da schalt der wolff das schaff, es machte yhm das wasser trube, Das schaff sprach, wie solt ich dirs trübe machen, stehestu du doch uber mir, und du machst mirs trübe? Kurtz, das schaff must her-halten, Es muste dem wolffe das wasser trube gemacht haben.«

Im Abendmahlsstreit mit Zwingli verkehrt er das Motiv zugleich (im Sinne seiner Tischrede über das Ichneumon), um die Wirkung des Abendmahls drastisch zu veranschaulichen: »Es wird der leib geistlich aufferstehen Denn ynn diesem essen gehets also zu, das ich ein grob exempel gebe, als wenn der wolff ein schaff fresse, und das schaff were so ein starcke speise das es den wolff verwandelt und macht ein schaff draus, Also wir, so wir Christus fleisch essen leiblich und geistlich ist die speise so starck, das sie uns ynn sich wandelt ...« (WA 23,204).

Wie Luther Fabelzitate und Sprichwörter verknüpft und zur Beweisführung nutzt, zeigt u. a. seine Vorrede zur Schrift des Urbanus Rhegius »Widerlegung der Münsterischen neuen Valentianer und Donatisten« von 1535 (WA 38,340): »Aber es gehet, wie man sagt: Wenn man dem hunde zu wil, so hat er das ledder gefressen, oder, wie die Fabel Esopi viel feiner sagt: Wenn der Wolff das schaff fressen wil, so hats jm das wasser betrübt, ob gleich der Wolff oben und das schaff unden am bach trincket. Sie haben die Kirche mit jrthum und blut, mit lügen und mord erfüllet, noch haben sie kein wasser betrübt. Wir steuren und wehren beide den jrthumen und auffrhuren, noch betrüben wir das wasser. Fris, lieber Wolff, fris, das dir bald ein bein quehr jm halse bleibe. Wolan, es ist die welt und jr Gott, sie können nicht anders thun. Haben sie den hausvater Beelzebub geheissen, wie viel mehr sein gesinde.«

Luther veranschaulicht: Wenn die Wiedertäufer Streit mit uns »Lutherischen« suchen, werden sie einen Vorwand finden (wie die Fabel von Wolf und Lamm und das von Luther ergänzte Sprichwort zeigen); aber (wie die Fabel von Wolf und Kranich zeigt) es wird ihnen schaden.

III. Abweichend von Steinhöwel hat Luther mit Recht die Überschrift auf die beiden Akteure *Frosch und Maus* begrenzt; denn der Raubvogel hat in der Fabel eine andere Funktion. Seine Tat zeigt nur das Ergebnis, verdeutlicht die Konsequenzen der boshaften Untreue.

Luthers Bearbeitung zielt auf Dramatik und vor allem auf Kürze. Trotzdem ergänzt er den Text an einer Stelle. Die bei Steinhöwel und seiner Vorlage fehlende *Begründung* für die Boshaftigkeit des Froschs, die Luther im Lemma als Untreue bezeichnet, beschäftigt ihn. Er fügt sie bereits im Manuskript ein (»hemisch und der maus feind«) und ändert sie in der Reinschrift treffend um (»ein schalck«). Das Promythion, das man bei Steinhöwel und seiner Vorlage findet, läßt Luther weg, auch Steinhöwels märchenhaften Anfang (»Zu zyten«). Er beginnt unmittelbar mit der Handlung und bringt das dramatische Element der Fabel stärker zum Ausdruck als Steinhöwel. Die drei Aussagen zur *Situation* formuliert er in der Reinschrift im ersten Satz; er faßt die zwei Sätze des Manuskripts zusammen. Die Dramatik der *Handlung* verstärkt er im folgenden Satz durch die bei Steinhöwel fehlende wörtliche Rede. Zugleich verschärft er die Boshaftigkeit im Sinne seines Lemmas durch das ebenfalls bei Steinhöwel fehlende Versprechen des Froschs, er werde die Maus hinüber ziehen. Der nächste Satz schildert den Mordversuch. Die Gegenwehr der Maus ist schwach und zum Scheitern verurteilt. Deshalb verbindet Luther sie in einem Satz mit dem *Ergebnis*, mit der Schilderung der Folgen der boshaften Tat.

Steinhöwel übersetzt »auxilium« mit »raut und hilf«. Luther schreibt stattdessen nur »trewen rat«, kehrt aber in der Reinschrift zu Steinhöwels Formulierung zurück.

Die beiden Sentenzen des Manuskripts »trew ist mislich« (i.S.v. Vertrauen kann gefährlich sein) und »Traw wol reyt das pferd weg« (vgl. WA 37,125: »Traw ritts pferd weg« i.S. des Sprichworts »Trau nicht, so bleibt das Roß im Stall«), ersetzt Luther in der Reinschrift durch das den Sinn der Fabel besser treffende Sprichwort »Denn welcher freund den andern vermag der steckt yhn ynn sack«.

In seiner Predigt am 2. Advent 1531 spricht Luther von dem »Teuflich laster« (im Gegensatz zur »Christiana virtus«): »wo einer sihet, das einer etwas vermag, steckt er alium ynn sack« (WA 34.2,483). Zwei Jahre vorher sagt er in einer seiner Predigten über das 5. Buch Mose: »Der schendliche Mammon ist der gröste Gott auff Erden« und fährt nach einigen Bemerkungen über Reichtum und Armut pointiert fort: »Hieraus komen denn allerley Büberey, das man untereinander schindet und frisset, scharret und kratzet und das einer den andern vervorteilt und betreugt, wo er nur kan, nach dem gemeinen Sprichwort: welcher den andern vermag, der steckt jn in Sack.« (WA 28,640)

Im Vergleich mit der Fabel von Wolf und Lamm erfährt Luthers Feststellung von der Boshaftigkeit dieser Welt eine wesentliche Einschränkung. Mit »schalck« meint Luther nicht »ein durch und durch boshaftes Wesen« (Düwel/Ohlemacher 1983, S. 135). Das würde die Fabel ad absurdum führen, da sich der Hörer oder Leser nicht mehr in dieser Figur erkennen, warnen lassen und sein Verhalten ändern kann, wie es Luthers Lehre fordert. Seine Verhaltensweise in diesem konkreten Fall ist boshaft und untreu gegenüber dem Versprechen, das er der Maus gegeben hat. Täter und Opfer – Luther warnt beide. Steinhöwels Bezug auf die Vita Esopi läßt er weg und verweist stattdessen im Epimythion auf das Fabelgeschehen, das Schicksal des Froschs zurück. »Du bist untrew reuber et manifestus in vico Ideo untrew schlegt (›den eigenen Herrn‹)« heißt es in einer Predigt Luthers aus dem Jahr 1538.

IV. Bei seiner Übersetzung der Fabel von *Hund und Schaf* läßt Steinhöwel für »calumniosus« (verleumderisch) dreimal eine Lücke, die auch Luther nicht durch eine Verdeutschung des Wortes schließt. Man hat u. a. aus dieser Tatsache gefolgert, daß der lateinische Text Luther nicht vorlag, zumal sich die von Steinhöwel abweichenden Ausdrücke Luthers »nirgends auf den lateinischen Text zurückführen lassen« (WA 50,437; vgl. dagegen Schirokauer 1947, S. 77).

Aber die Verleumdung wird in Luthers Fabel so eindeutig dargestellt, daß das Adjektiv überflüssig ist, zumal Luther in der Reinschrift im Sinne der Typisierung der Fabel den bestimmten Artikel wählt (und diesen Hund einen »wolff« nennt, was Rörer in der Druckfassung entsprechend dem Manuskript geändert hat).

Steinhöwels Epimythion verbleibt im juridischen Bereich: durch falsche Zeugen (vor Gericht) müssen Unschuldige leiden. Luther hat zwar das von Steinhöwel nicht ausdrücklich erwähnte »fur gericht« in den narrativen Teil seiner Fabel aufgenommen und den juridischen Aspekt in der Reinschrift hervorgehoben durch die Wendung, daß das Schaf »seine Sache« i. S. v. Rechtsstreit verlor. Im Epimythion aber geht es nicht mehr um einen Rechtsstreit. Weit über seine Vorlage und den eigenen narrativen Teil der Fabel hinausgehend bezieht Luther die Lehre allgemein auf den menschlichen und gesellschaftlichen Bereich. Im Manuskript hat Luther zunächst wieder gesammelt und dann in der Reinschrift gekürzt und konzentriert. Die theologisch klingenden Wendungen »Gott behut« und »ewige« Geduld hat Luther nicht in die Reinschrift übernommen. Hier zeigt er vielmehr die rein weltliche Alternative, sich entweder vor den Mitmenschen zu hüten oder, sofern man mit ihnen zusammenleben will, Geduld mit ihnen zu haben. Beide Lehren wird der Leser im Bildteil der Fabel vergeblich suchen.

V. Das Promythion und den Einleitungssatz läßt Luther auch bei der Fabel vom *Hund im Wasser* weg, beginnt unmittelbar mit der Handlung und gestaltet sie gemäß dem vierteiligen Aufbauprinzip der Fabel. Der erste der vier Sätze des narrativen Teils zeigt, wie Luther den Rhythmus der Sprache dem

Bild vom fließenden Wasser anpaßt und im Detail korrigiert, indem er in der Reinschrift bei »ein« noch »en« überschreibend ergänzt. Den folgenden langen und schwerfälligen Satz Steinhöwels löst Luther dramatisch geschickt in drei Sätze auf: Der Hund sieht den Schatten und schnappt danach (actio). Als er das Maul aufmacht, fällt das Fleisch ins Wasser (reactio). So verliert der Hund Fleisch und Spiegelbild (Ergebnis).

Mit dem Lemma ist »Geiz« im frühneuhochdeutschen Sinn von »Gier« gemeint. Diese Bedeutung kommt auch in den drei Merksätzen zum Ausdruck, die Luther im Manuskript als Lehre anfügt. Die erste Sentenz (»Man sol sich begnugen lassen an dem das Gott gibt«), die Luther aus dem Manuskript wörtlich in die Reinschrift übernimmt, muß nicht als theologische Aussage verstanden werden, sondern gehört zur Sprichwortweisheit (vgl. Düwel/Ohlemacher 1983, S. 138). Luther bezieht sie auch auf die Fabel von dem Bauern und der Gans, die er nach der Überlieferung des Mathesius bei Tisch erzählt (vgl. S. 000 dieser Ausgabe). Die beiden im Manuskript folgenden Sprichwörter findet man bereits bei Steinhöwel. Den Spruch »Wer zu viel haben will, dem wird zu wenig« ändert Luther entgegen der zunächst von Steinhöwel übernommenen Formulierung in der Reinschrift so um, daß er den Sinn der Fabel (dem letzten Satz des Bildteils) besser trifft. In dieser Form hat er ihn auch in den lateinischen Text seiner Vorlesung über das erste Buch Mose von 1535 gefügt (vgl. WA 43,684). In der Reinschrift ergänzt Luther ein weiteres Sprichwort (»Wem das wenige verschmahet, dem wird das grosser nicht«), das den Sinn der Fabel nicht trifft, aber das Luther sehr liebte, gleich zweimal in seine Sprichwörtersammlung aufnahm (Nr. 33 und 243) und in seinem Zimmer an die Wand hinter dem Ofen schrieb (vgl. WA 7,566).

Martin Luther hat die Fabel vom *Hund mit dem Stück Fleisch* wiederholt erwähnt, beispielsweise in der Predigt über den 112. Psalm von 1526 (WA 19,304) und bereits 1520 in der Schrift »Von der Freiheit eines Christenmenschen« (WA 7,28). Sein Bemühen um Veranschaulichung verleitet ihn im Freiheitstraktat, den Glauben mit einem Stück Fleisch zu vergleichen.

VI./VII. Die berühmte Fabel von der *Teilung der Beute* findet man bereits bei Steinhöwel in zwei Fassungen, obwohl das die Überschrift nicht erkennen läßt. Die erste Fabel vom Löwen, der mit den drei Grasfressern Rind, Geiß und Schaf auf die Jagd geht, dient der Warnung an die Schwächeren vor der Gemeinschaft mit dem Mächtigen. Diese Lehre wird als Promythion formuliert und nochmals in dem Epimythion, das die Überleitung zur zweiten Fabel bildet. Während der Löwe zunächst selbst teilte, fordert er nun die Jagdgenossen zur Teilung auf. Der Esel teilt mathematisch gerecht, was ihn das Leben kostet, während der Fuchs die Spielregeln der Macht, sofern er sie nicht schon vorher kannte, spätestens an diesem Beispiel der Tyrannei erkennt und beherzigt und auf diese Weise sein Leben rettet.

Von Luther wird die Doppelfabel Steinhöwels zwar konsequenterweise in zwei Texte aufgeteilt, aber trotz der nun auch äußerlich erkennbaren Trennung in Fabel VI und VII vermischt sich das fabula docet.

Das Promythion und Steinhöwels Einleitungssatz läßt Luther weg und beginnt unmittelbar mit der Handlung. Im ersten Satz schildert er die *Situation*, im letzten Satz das *Ergebnis*. Dazwischen steht der *Monolog des Löwen*. Seinen Anspruch auf alle vier Teile vertritt der Löwe mit drei Argumenten und einer Drohung. Das gewichtigste Argument steht am Anfang. Steinhöwel ergänzt hier seine Vorlage durch »und ain künig aller tiere«. Luther hat die entsprechende Wendung »das erste teil geburt mir [von rechts wegen] als einem lewen der aller thier konig ist« in seinem Manuskript gestrichen (vgl. WA 50,443, Anm. 1) und durch »Ein teil ist mein aus der gesellschafft« ersetzt.

»Für Äsop wie für Steinhöwel besteht ein Königsrecht. Denn natürlich gründet sich die Forderung des Löwen auf den Löwenanteil zunächst auf ein verbürgtes Recht. Was Luther an dessen Stelle setzt, ist aber etwas völlig anderes. Als Teilnehmer an der Jagdpartie kommt ihm ein Viertel der Beute zu. Nichts mehr vom Königsrecht! Wir befinden uns in einer Bürgerwelt. Man darf vielleicht in dieser Änderung einen schwachen Nachhall der Bauernkriege, einen Reflex der sozialen Umwälzung sehen, deren geistigster Ausdruck unter dem Namen Reformation läuft.« Arno Schirokauer (1947, S. 82 f.) übersieht, daß auch in Luthers Fassung der Fabel das Königsrecht des Löwen (das in Steinhöwels Vorlage fehlte!) bestehen bleibt, allerdings erst an zweiter Stelle.

An die erste Stelle setzt Luther ein Argument, das man erstaunlicherweise bei Steinhöwel und seiner Vorlage nicht findet. Als einer der vier Teilnehmer der Jagd hat der Löwe einen Anspruch auf ein Viertel der Beute. Um seiner Vorlage gerecht zu werden und trotzdem die Vierzahl beizubehalten, zieht Luther dann das zweite und dritte Argument aus Steinhöwels Fassung zu einem zusammen. Die zweite Version der Fabel vom Löwenanteil ist in Luthers Bearbeitung besonders eindringlich durch die knappe wörtliche Rede und das anschauliche Bild. Im Vergleich dazu wirkt Steinhöwels Übersetzung trocken und hausbacken (z. B. »grißgramet mit den zenen«). Der Zorn des Löwen über die mathematisch gerechte Teilung wird durch Luthers Formulierung »und reis dem esel die haut uber den kopff« dramatisch veranschaulicht und bildhaft verstärkt durch das Adjektiv »blutrustig« i. S. v. blutüberströmt. Steinhöwel zeigt uns die Macht des Löwen, Luther darüber hinaus auch die Brutalität des Mächtigen. Im ironischen Understatement wiederholt er das Bild durch die Antwort des Fuchses und läßt die dem Esel über den Kopf gezogene Haut wie eine blutige Kopfbedeckung (Barett) erscheinen.

Hier bricht Luthers Reinschrift unvermittelt ab; das fabula docet fehlt. Es ist bereits im Manuskript unvollständig, was der Herausgeber Rörer erkannt und korrigiert hat, indem er die von Luther gestrichene Textpassage, daß man aus dem Schaden anderer klug werden soll, wieder einfügt. Von den »zwey stuck« Lehre ließ Luther nur den ersten Teil stehen, daß »Herrn« auf ihren eigenen Vorteil bedacht sind und daß »man« deshalb nicht mit ihnen Kirschen essen soll. Dieses Sprichwort findet man auch in den Vorlesungen und Predigten (vgl. WA 37,466; 44,144) und, variiert, in der Sammlung (Nr. 73) Luthers. In der ersten Version der Tyrannenfabel wird es durch zwei weitere Warnungen verstärkt. (Die folgende Sentenz des Horaz paßt nicht zum narrativen Teil der Fabel.) Bedeutsam ist der Schluß dieses Epimythions. Er zeigt, daß Luther trotz der pädagogischen Intention seiner Äsop-Bearbeitung politische Akzente setzt. Über die allgemein und behutsam formulierte Warnung Steinhöwels, daß sich »alle menschen vor der mächtigen gesellschaft hüten söllen«, weit hinausgehend, verweist der ehemalige Jura-Student auf das Römische Recht und auf die im Widerspruch dazu stehende societas leonina. Den hier juristisch trocken formulierten Mißbrauch der Macht hat Luther im narrativen Teil der Tyrannenfabel anschaulich dargestellt. – Zum Begriff der *societas* gehört nach Römischem Recht die Förderung eines *gemeinschaftlichen* Zweckes durch Zusammenwirken aller Beteiligten. Der Rechtsgelehrte C. Cassius Longinus (1. Jh. n. Chr., »libri iuris civilis«) nannte (nach Ulpian »Digest.« XVII,2,29, worauf Luthers Abkürzung verweist) einen Vertrag, wonach der eine Teilnehmer allen Nutzen zieht und der andere allen Nachteil trägt, eine *societas leonina*, eine Vereinbarung nach dem Muster des Löwen.

## Luthers Vorlage

Die Übersetzung der griechisch-römischen Fabeln des Ulmer Arztes Heinrich *Steinhöwel*, die Vorlage für Luthers ESO-

PUS, erschien 1476. Das zweisprachige und mit Holzschnitten illustrierte Werk wurde bei Johannes Zainer in Ulm verlegt. Es erregte über Deutschlands Grenzen hinaus Aufsehen und wurde immer wieder nachgedruckt und übersetzt. Der erste der vielen Nachdrucke erschien bereits ein Jahr später bei Günther Zainer in Augsburg. Wenige Jahre später folgten die ersten der zahlreichen Übersetzungen – ins Französische (1484), Englische (1484), Holländische (1485), Spanische (1487) usw.

»Mit dieser Ausgabe beginnt der hundertjährige Siegeslauf der humanistisch schwankfreudigen und vernunftgläubigen Fabel durch die europäischen Sprachlandschaften; ihr Triumph überlebt sogar noch den Humanismus, wird durch die geistigen Verheerungen im Zeitalter der Glaubensspaltung kaum beeinträchtigt, fällt der vordringenden Gegenreformation keineswegs zum Opfer: im Jahr 1593 übersetzen Jesuiten Äsop ins Japanische, ziehen ihn also für ihre Missionsaufgaben neben der Bibel hinzu.« (Schirokauer 1953, S. 189)

Steinhöwels Zusammenstellung und Übersetzung wurde zur Grundlage der folgenden Fabelsammlungen. Den größten Teil der zweisprachigen Ausgabe (Österley 1873) bilden 4 Bücher mit je 20 Fabeln aus dem Romulus; es folgen 61 Fabeln aus verschiedenen anderen Sammlungen und schließlich ein Anhang mit 15 Schwänken von Petrus Alphonsus und 7 Fazetien des Poggio. Diese »schimpfreden« zeigen verschiedene Möglichkeiten der verheirateten Frau, mit ihrem Geliebten der Göttin Venus zu dienen. Steinhöwel ist zwar noch frei von den pädagogisierenden Überlegungen der Fabelbearbeiter, die in Deutschland bereits mit der Reformationszeit beginnen, trotzdem hat er als Kompilator bereits Skrupel und fügt dem derben Schwank »De iuvencula impotentiam mariti accusante«, den er volkstümlich übersetzt mit »Ain frow verklaget ieren man, er hette kainen« eine »Entschuldigung schrybens lychfertiger schimpfred« (S. 342) an, in der er auf die vielen anderen Texte des Poggio verweist, die er mit Rücksicht auf die weiblichen Leser weggelassen habe.

Als anstößig kritisiert wurden aber nicht nur die Fazetien des Poggio, auf die Steinhöwel angesichts der Gesamtkonzeption seines Werkes hätte verzichten können, sondern auch die in die Vita Esopi eingefügten Fabeln. Daß Steinhöwel die legendäre Lebensgeschichte des phrygischen Sklaven an den Anfang seines Werkes stellt, wird wegweisend für künftige Fabelbearbeitungen.

Steinhöwel übersetzt nach seinem eigenen Urteil schlicht, verständlich und frei – »nit wort uß wort, sunder sin uß sin« (S. 4). Die gewünschte Rezeption drückt er metaphorisch aus. Der Leser seines Buches soll wie die Biene weniger auf die Farbe der Blumen achten als auf die Süßigkeit des Honigs, den man aus ihr saugen kann, d. h. auf »die guoten lere, dar inn begriffen, zuo guoten und tugend ze lernen« (S. 4). Denn wer in diesem Buch nur »märlin« lesen wolle, gleiche dem Hahn der ersten Fabel. Der Humanist Steinhöwel definiert die Fabel als eine erfundene Geschichte, damit der Mensch durch das Wort der unvernünftigen Tiere Sitten und Tugend lerne und die menschliche Würde erkenne.

»also sint die fabeln Esopi uf die sitten der menschen geordnet. Und wir finden des glychen in dem buoch der richter, do di boum ains künigs begerten, und redten mit dem ölboum, figenboum, winreben und brunberstuden, das beschicht ye alles, die sitten der menschen ze betütten, daz man durch erdichte ding zuo der warhait, der man begerend ist, komen müge.« (S. 6)

### Luthers Übersetzung alttestamentlicher Texte

*Die Fabel Jothams* (Richter 9,6-15)(WA Die deutsche Bibel 9/1,118) erzählt der Sohn des berühmten Gideon, der die Israeliten aus der Gewalt der Midianiter befreite. Jotham richtet sie gegen Abimelech, der nach der Ermordung seiner siebzig Brüder (nur Jotham konnte sich retten) König geworden war. Die Fabel Jothams gewinnt bei Mathesius – ebenso wie bei zahlreichen Theoretikern nach ihm (vgl. Dithmar 1982) – exemplarische Bedeutung und wird zum Thema seiner siebten Predigt. Nach der Verlesung des alttestamentlichen Textes beginnt Mathesius – abweichend von den Prinzipien der Homiletik – seine Fabelpredigt:

»Diß ist Jothams fabel / des weysen Mannes unnd grossen Regenten / und leiblichen Heylandes inn Israel / Gideons Son / die ich euch herzele / damit jr sehet / das der heylig Geyst jm auch die weyse gefallen lesset / wenn kluge leut mit verdeckten unnd verblümbten rede / undanckbaren unnd ungeschlachten leuten predigen / unnd das die weysesten auf erden / beyde unter Jüden und Heiden / auch inn der Christenheyt / sich sehr gerne auff dise art beflissen / unnd die höchste weißheyt / nach Gottes wort / in solch bildwerck unnd gemelde der unvernünfftigen Creaturen und Thierlein gefasset / unnd den leuten fürgehalten haben.« (S. 138)

Der Text dient Mathesius als Beweis dafür, daß die Fabeln (»mehrlein«) des Alten Testaments und die Fabeln überhaupt von großer Bedeutsamkeit sind. Und die für seine Gemeinde offensichtlich schwer verständliche Tatsache, daß sich der Reformator so intensiv mit den äsopischen Fabeln beschäftigte und der Schüler und erste Biograf Luthers dem eine ganze Predigt widmet, begründet Mathesius mit der von Luther selbst gesetzten Priorität, »das nach der heyligen schrifft / die feinste weltweyßheyt in vernünfftigen fabeln zu finden ist / wer allein den selben mit fleyß nachdencke« (S.139)

*Die Fabel des Joas* (2. Könige 14,9)(WA Die deutsche Bibel 9/ 1,118). Neben der berühmten Fabel von der Königswahl der Pflanzen enthält das Alte Testament noch diese zweite Pflanzenfabel, die auch im zweiten Buch der Chronik (25,18) überliefert ist und sich auf die Auseinandersetzung zwischen den

Königen der beiden Teilreiche bezieht. Joas richtet sie an Amasja, 796-781 König in Juda, als eine Warnung. Die Mißachtung führt wie bei der Fabel Jothams zu Niederlage und Tod.

*Die Fabel vom geraubten Schäfchen* (2. Samuel 12,1-15) (WA Die deutsche Bibel, 1,111 f.) Unter diesem Titel wurde die Fabel, die der Prophet Nathan dem König David erzählt, rezipiert; die Illustration von Lukas Cranach veranschaulicht den Zusammenhang. David begehrt Bathseba und veranlaßt den Tod ihres Mannes Uria. Die nicht nur um des Schutzes willen in eine Fabel gekleidete Strafpredigt des Propheten bewirkt, daß sich David, der als König zugleich oberster Richter ist, sein eigenes Urteil spricht.

*Das Weinberglied* (Jesaja 5,1-7)(WA Die deutsche Bibel 11/ 1,37). In den ersten fünf Kapiteln des Jesajabuches steht die Verkündigung des Untergangs von Juda und Jerusalem, weil das Volk von seinem Gott abgefallen ist. Von besonderer dichterischer Kraft ist das Weinberglied, das am Ende dieser Anklage (etwa 735 v. Chr.) das prophetische Gerichtswort in ein Gleichnis faßt und das Volk als die Angeklagten zum Richter über das eigene Tun aufruft. Der letzte Vers enthält ein hebräisches Wortspiel: »Er wartete auf Rechtsspruch, und siehe da war Rechtsbruch, auf Gerechtigkeit, und siehe da war Klageschrei.« Jesaja trug das Gedicht zu Beginn seines Wirkens, wahrscheinlich anläßlich des Weinlesefestes vor.

## Luthers Fabeln

Bereits 1528 erschien die Fabel von *Löwe und Esel* (WA 26,547-550; Illustration S. 551), eine nach dem Urteil Ernst Thieles freie Erfindung Luthers, die zur Quelle für die gereimte Fabel »Von dem Löwen und Esel« des Erasmus Alberus wurde. Sie hat ihre Tradition allerdings weniger in der äsopischen Fabel als in der deutschen Tierdichtung, die Luther sehr schätzte. Bisweilen brachte er, wie u. a. der Tischgenosse Mathesius berichtet, eine Ausgabe des REINEKE FUCHS mit zu Tisch und las daraus vor.

Luther wendet sich mit beißender Ironie gegen die Vermischung der Regimenter und gegen den Papst, hier und öfter in der Gestalt des Esels, als Herrscher beider Reiche, und gegen die Torheit der Deutschen, die sich durch fuchsische List unter das geistliche Regiment beugen, statt ihrem rechtmäßigen weltlichen Herrn und König zu folgen.

Der Überredungskunst des Fuchses gelingt es, daß die Tiere nach dem Tod des alten nicht den jungen Löwen zum König wählen, sondern den Esel. Daß allein er von Gott erwählt sei, könne man an dem Kreuz auf seinem Rücken erkennen, läßt Luther den Fuchs sagen und spielt damit an auf den Volkswitz, der das Kreuz auf der Rückseite des priesterlichen Meßgewandes mit dem Kreuz auf dem Eselsrücken verglich.

Pointiert und Widerspruch provozierend, endet Luthers Fabel mit der Feststellung: So blieb der Esel König und regierte sein Geschlecht bis zum heutigen Tag mit Gewalt in der Welt – unter den Tieren.

In der Nachdichtung von Alberus (Braune 1892, S. 90 ff.), die mit 512 Verszeilen für eine Fabel ungewöhnlich lang ist und in den 30 Zeilen des »Morale« den Sinn des narrativen Teils mehr verstellt als erhellt, fehlt diese Pointierung. Das Kreuz auf des Esels Rücken wird mehrfach erwähnt. Es wird zum Bild für den »falschen schein / Die Welt will ja verfüret sein« (Z. 595 f.). Alberus bezieht das Regiment des Esels auf den Papst (Randbemerkung zu Z. 174: »Papa«) und auf den Streit zwischen geistlichem und weltlichem Regiment:

»Beyd Weltlich und das Geistlich schwerdt
Wird führn der Esel ehren werdt.« (Z. 175 f.)

In dem 1534 erschienenen Fabelbuch des Erasmus Alberus findet man auch die bekannte Fabel vom Esel in der Löwenhaut, und zwar unter dem Titel »Vom Bapstesel« (Braune 1892, S. 141 ff.). Dem Esel, der sich als Löwe ausgibt und auch den Kaiser unterdrücken will, wird am Ende die Löwenhaut ausgezogen und öffentlich verbrannt:

»Da kam ein fein geschickter Man,
Der sah den falschen Löwen an
(...)
An kopff er jhm ein schlappen gab,
Des Löwen haut zog er jhm ab,
Und offenbart jhn aller Welt,
Das man jetzt nichts vom Esel helt
(...)
Martinus Luther ist der Man
Der solchen dienst uns hat gethan«
(Z. 87 f., 97-100, 115 f.)

Das Tierbild vom *Esel* hat Luther besonders oft und gern verwandt. Bei den Angriffen in der Ablaßfrage fühlt er sich, als ob ihn »eynn grober Esell anschreyet«, und über die Unbelehrbarkeit seiner Gegner urteilt er, ebenfalls 1518: »es ist müglicher, das man ainen esel lesen leer«. Luther habe jeden, der ihm in den Weg getreten sei, einen »Esel« genannt, behauptet W. v. Both in seiner Dissertation (1927, S. 3) und nennt zahlreiche Beispiele.

Zu dem in dieser Edition nachgedruckten Holzschnitt »*Bapstesel*«, der zusammen mit dem »Mönchskalb« in der Werkstatt von Lukas Cranach entstand, schrieben Luther und Melanchthon 1523 eine »Deutung« (WA 11, 357-385), die wie auch die anderen Kommentare Luthers zu antipäpstlichen Holzschnitten (vgl. WA 54, 346-373) von einer äußerst scharfen Polemik geprägt ist.

Der Eselskopf stellt das Papsttum dar, der Elefantenfuß an Stelle der rechten Hand das geistliche Regiment, das die schwachen Gewissen zertritt, die linke menschliche Hand das weltliche Regiment des Papstes. Der rechte Fuß, ein Ochsen-fuß, bedeutet die Diener des geistlichen Regiments, die die Seelen unterdrücken, und der linke Fuß, eine Greifenklaue, die Diener des weltlichen Regiments und ihre Habsucht. Weibliche Brust und Bauch sollen das unzüchtige Leben der päpstlichen Diener zeigen und die sie umgebenden Fischschuppen den Schutz der weltlichen Macht. Der aus dem Hintern herausragende Drache weist auf die zahlreichen Bannbullen und der Kopf auf das nahe herbeigekommene Ende des Papsttums. – Die Karikatur erschien als Flugblatt und fand weite Verbreitung.

In Luthers Briefen findet man zahlreiche Fabeln oder fabelartige Passagen, die allein zwar noch kein Beleg für »Luther als Fabeldichter« (Thiele) sind, wohl aber für die Fabulierfreude und bildhafte Schreibweise des Reformators. Die ersten beiden der hier abgedruckten Briefe schrieb Martin Luther 1530 von der Coburg aus, den an seinen Sohn Hans am 19. Juni und den an die Wittenberger Tischgesellen (vermutlich) am 26. April. Den Brief an Wolfgang Sieberger hat Luther vermutlich im Herbst 1534 geschrieben.

Mit der Geschichte *Vom Paradiesgarten* (WA Br 5,377 f.) ermahnt Martin Luther seinen vierjährigen Sohn Hans zum Lernen und Beten und schließt indirekt seine Freunde Lippus und Johst, d.h. Philipp und Justus, die fünfjährigen Söhne von Melanchthon und Justus Jonas ein. Die »Mume Lene« ist Hänschens Tante Magdalena von Bora.

In dem ebenfalls 1530 von der Coburg aus geschriebenen Brief an die Wittenberger Tischgesellen *Vom Reichstag der Dohlen und Krähen* (WA Br 5,293-295) parodiert Luther den Augsburger Reichstag, an dem er zwar nicht teilnehmen kann, den er aber von seinem Fenster aus erlebt als einen der Dohlen und Krähen. Luther glossiert hier nicht nur einen Reichstag, bei dem sich die »großen Hansen« ebenso wie der

Adel »schwänzen« (d.i. im Tierbereich das Imponiergehabe mit dem Schwanz); er hofft auch darauf, »daß sie allzumal an einen Zaunstecken gespießet wären«.

Den hinter dieser Parodie stehenden Ernst und Luthers Sorge zeigt vor allem die Textstelle »damit sie auch den Büchsen empfliehen und eim Zorn entsitzen (= trotzen, standhalten) können. Es sind große, mächtige Herren: was sie aber beschließen, weiß ich noch nicht.«

Seinem Diener Wolfgang Sieberger antwortet Luther 1534 mit einem lustigen Spottbrief *Die Klageschrift der Vögel* (WA 38,292 f.). Der humorig formulierten Kritik am Fangen und Töten von Vögeln, die Luther von den Vögeln selbst vorbringen läßt, folgt unvermittelt das Bibelzitat Matthäus 6,26, mit dem Luther den Brief beendet und zugleich parabolisch überhöht. – Die Vögel erscheinen in Luthers Tiervergleichen (vgl. S. 000 dieser Ausgabe) als Bild des Gottvertrauens. Parabolik und Realität verbinden sich hier wie überhaupt bei Luther.

»Kein Mensch ist auf Erden, der da vermöchte zu bezahlen die Unkosten, so unserm Herrgott täglich aufgehen, daß er nur die unnützen Vögel ernährt und speist. Und ich glaube es gänzlich, daß der König von Frankreich mit all seinem Reichtum, Zinsen und Renten nicht vermöchte zu bezahlen, was allein auf die Sperlinge geht; was soll ich denn von den andern Vögeln, als Raben, Dohlen, Krähen, Zeisige, Stieglitze, Finken und dergleichen Vögel Speise sagen? So denn nun Gott die Vögel so reichlich und überflüssig ernährt, wer wollte dann von den Menschen verzweifeln, daß Gott ihm nicht Nahrung, Futter, Decke und alle Notdurft geben sollte?« (WA 38,290)

*Der Abgott Sauf* (WA 51,257). – Luther wurde, wie Kroker berichtet (WA 51,257 Anm. 1), von dem Küchen- und Kellermeister gebeten, die ständigen Gelage zu untersagen, da es tags und nachts keine Ruhe gäbe. Er soll geantwortet haben, sie möchten Geduld haben, nach dem Fressen werde ein Fasten kommen. Über die drei sächsischen Kurfürsten (vgl. das Gemälde von Lukas Cranach) hat Luther einmal gesagt, mit Friedrich sei die Weisheit und mit Johann die Frömmigkeit gestorben. Johann Friedrich (seit 1532 Kurfürst), den Luther von Jugend auf kannte, hat er wiederholt wegen der Gelage, insbesondere der Trunksucht am kursächsischen Hof öffentlich kritisiert.

Mit *Brühschenk* (WA 51,220 f.) ist einer gemeint, der verdünnten Wein ausschenkt, im übertragenen Sinn ein schwacher und nachgiebiger Herr und treuloses Gesinde. Statt »Mathiaske« heißt es in einer anderen Handschrift »mathiasch oder tyrannisch«.

*Der Knecht mit den drei Amseln* (WA 51,223) wurde nach dieser Fassung Luthers in die Kinder- und Hausmärchen der Gebrüder Grimm übernommen. Die Fabel ist keine Erfindung Luthers, sondern beruht auf mündlicher Überlieferung.

*Das Kätzchen Adulatio* (WA 51,248). – Herkules mußte zur Strafe für die Ermordung des Iphitos der Omphale, Königin von Lydien, drei Jahre als Sklave dienen. Lucian (»Wie man Geschichte überreden soll«) erwähnt bereits alte Abbildungen, auf denen Herkules im Weiberrock spinnt und von Omphale mit der Sandale geschlagen wird. Diese Szene, von Lukas Cranach eindrucksvoll gestaltet, widerspricht den Vorstellungen Luthers, der die Überlieferung allegorisch deutet.

Bei der Exegese von Psalm 101,5b (»Den Hoffärtigen und Hochmütigen kann ich nicht ausstehen«) verwendet Luther nicht nur derb-drastische Bilder zur Veranschaulichung, sondern auch die äsopische Fabel *Vom Frosch, der sich wie ein Ochse aufbläst* (WA 51,251), um die Überheblichkeit des einfachen Mannes von dem Hochmut der Fürsten zu unterscheiden, den nur persönlichen Schaden des aufgeblasenen Frosches, der zerplatzt, von dem allgemeinen Schaden der Tyrannis. Das Sprichwort »Arm hoffart, da wisschet der Teufel seinen hindern an« steht leicht variiert auch in Luthers Sprichwörtersammlung (Nr. 206) und bedeutet, daß der Stolz auf eingebildete Vorzüge selbst dem Teufel verächtlich ist.

Dieses Motiv benutzt Luther bereits 1520 (WA 6,324) und braucht es ein Jahr später gegen Emser. Der Bundesgenosse von Eck hatte Luther als »den Stier zu Wittenberg« tituliert, worauf Luther seine Gegenschrift an »den Bock zu Leipzig« (1521) richtet. »Lieber Bock stoß mich nit« (WA 7,621) beginnt eine weitere Kampfschrift Luthers von 1521, in der er die Fabel vom Frosch, der sich wie ein Ochse aufbläst, auf den »Bock Emser« bezieht: »drumb geschicht yhn wie dem alten frosch, dem das jung fröschlin klagt, wie ein groß thier, ein ochß, were kummen und hette alle froschlin zu todt getretten; da wart der frosch zornig und blies sich auff und sprach ›wie nu? byn ich nit auch ßo groß?‹ ›Neyn, liebe mutter‹, sprach das froschlin, ›wenn du gleich bersten soltist‹. Alßo blaßen sich auch meyne Böck mit yhrem atem, wind und geyst, und wen ich mit dem ochsen fuß kum, da die schrifft von sagt, so trett ich sie, das sie quecken.« (WA 7,638)

Für die Zeit vor 1530 hat man eine Entwicklung in Luthers Verhältnis zur Fabel vom zunächst überwiegend satirischen zum vorwiegend didaktischen Gebrauch beobachtet (v. Both 1927, S. 10,36,51 u. ö.). Diese Feststellung darf jedoch nicht isoliert vom jeweiligen Fabelmotiv getroffen werden. Satirisch verwendet Luther die Fabel vom Frosch, der sich wie ein Ochse aufbläst, und vor allem die Fabel vom *Esel in der Löwenhaut*. Er benutzt das Motiv in der Auslegung des Vaterunser von 1519 (WA 2,91) ebenso wie zwei Jahre später gegen Emser (WA 7,664) und verbindet es mit dem Sprichwort, daß man den Vogel am Gesang (eigentlich an den Federn) erkennt wie den Esel an den Ohren. In einem Schreiben gegen Papst und Bischöfe von 1522 heißt es: »Gleych wie sie Bischoff sind, ßo ist auch yhr lere, das man eynen Esel eyn lawen haud antzöge, ßo ist er doch eyn Esell, das weyssen seyne ohren unnd gesang.« (WA 10.2,143) Im Sendbrief vom Dolmetschen (1530) bezieht er das Fabelmotiv auf den »Doctor Rotzlöffel« Cochläus: »Zwar es durfft ein Esel nicht viel singen, man kennet yn sonst wol bey den ohren.« (WA 30.2,636)

Johannes Mathesius (1504-1565) schreibt 1562-64 eine Biografie Luthers in Predigten, die 1566 gedruckt wird. Mit mehr als 50 Auflagen ist sie bis zum Anfang unseres Jahrhunderts die erfolgreichste Lutherbiografie. Von den sechzehn ursprünglich für die eigene Bergwerksgemeinde verfaßten Predigten ist die siebte, die Mathesius sinnigerweise zu Fastnacht (1563) hält, dem Interesse Luthers an der äsopischen Fabel gewidmet. Als Tischgenosse Luthers kannte Mathesius Fabeln, die der Reformator beim Essen in die Unterhaltung einflocht.

*Vom Affen, der Holz spalten wollte* (Mathesius S. 141 und WA 51,213). – Mit der Fabel vom Affen, der sich beim Holzspalten die Hoden zerquetscht, wendet sich Luther in derb-drastischer Bildsprache gegen das, was der Volksmund »Nachäffen« nennt. »Ein affe, wenn er gleich Königskleider an hette, So wäre er doch ein affe« (ebd. S. 211), hatte Luther zwei Seiten vorher geschrieben. – Mathesius hat diese uns aus dem Orient überlieferte Fabel (vgl. Dithmar 1988, S.71) im Vergleich zu Luther nur gekürzt und filtriert erzählt.

*Igel und Fliege* (Mathesius S. 145)

*Bauer und Gans* (Mathesius S. 145). – Auf die sozialkritische Verwendung der Fabel im politischen Bereich hat A. Elschenbroich (1979, S. 459) hingewiesen: »Wirtschafts- und sozial-politisch wird hier ein frühkapitalistischer Monopolisie-rungsversuch mit den Begleiterscheinungen der Ausbeutung fremder Arbeitskraft und der daraus entstehenden Frage nach einer Gewinnbeteiligung der Arbeitnehmer zum Anlaß der Auslegung einer Fabel durch Bezugnahme auf einen kon-kreten Fall.«

Die Fabel von *Krebs und Schlange* (Mathesius S. 148 f. und WA TR 4,571) ist keine Erfindung Luthers, wie Ernst Thiele meint, sondern bereits von Äsop überliefert. Martin Luther schrieb sie seinem Sohn Hans auf, um sie ins Lateinische zu übersetzen. »Was wollte Luther seinem Sohn mit dieser Fabel zeigen? Ohne Zweifel, wie die Welt beschaffen ist, in der ein Christ bestehen muß, nicht, wie er sich in ihr verhalten soll. Genau das gleiche gilt für alle von Luther während seines Aufenthaltes auf der Feste Koburg bearbeiteten Fabeln.« (El-schenbroich 1979, S. 458)

Die Fabel von *Bauer und Schlange* (Mathesius S. 149 f. und WA TR 3, 639), die Melanchthon nicht bei Tisch, sondern auf einer Fahrt im Wagen 1538 erzählt, trägt vermutlich au-tobiografische Züge (vgl. Elschenbroich 1979, S. 465 ff.). Das fabula docet »Wem man vom Galgen hilft, der bringet einen gern wieder daran«, das Luther unter diese Fabel fügt, setzte er bereits leicht variiert unter die Fabel von Wolf und Kra-nich. Bei Steinhöwel lautete die Lehre behutsamer und weni-ger bildlich: Wer den Bösen Gutes tut, wird selten belohnt. Dieses Epimythion trifft den Sinn der äsopischen Fabel bes-ser.

In seiner Auslegung von Epheser 5,15-21 geht Luther nach-drücklich auf die Ausbildung der Pfarrer ein und bezieht die Fabel von *Grille und Ameise* (WA 22,331) auf die Textstelle »schicket euch in die Zeit« (im Sinne von: nutzt die Zeit aus).

– In einer Predigt von 1536 sagt Luther – ebenfalls mit Bezug auf das Gleichnis von den klugen und törichten Jungfrauen: »Sic grill venit ad emsig: quid fecisti in aestate, quod non importasti? Ego cecini. Si hoc, tantz im winter fur den gesang im Somer. Sic nobis accidit ut stultis. Herr, vergeb sunde, hoc, illud faciam. Vade, ghe hin, kauf oel. Si prius in estate gesungen, tantz nu im winter, et weist ab mit spot.« (WA 41,706 f.)

## Aus Luthers Tischreden

Im Gegensatz zu den von Martin Luther neu bearbeiteten Fabeln des Äsop, wie er sie – von Heinrich Steinhöwel überliefert und übersetzt – kennenlernte, haben die Fabeln und fabelartigen Texte, die wir in Luthers Briefen und Tischreden finden, einen konkreten historisch-politischen Bezug, einen »Sitz im Leben«, den man zum Verständnis wie auch zur richtigen Einschätzung von Luthers sprachlicher Leistung und Originalität mitlesen muß.

Daß Luther die äsopische Fabel auch in seinen berühmt gewordenen TISCHREDEN wiederholt mit besonderer Hochschätzung erwähnt und konkrete Situationen spontan durch das Erzählen einer Fabel beleuchtet, »wenn er zumal vom Regiment unnd Hofwesen pflegte zu reden« (Mathesius S. 141), wird u. a. von dem Tischgenossen Johannes Mathesius bezeugt, der mehrere dieser von Luther bei Tisch erzählten Fabeln überliefert hat – so die *von der Kröte und den Affen und von den Hornissen*. (Mathesius S. 141 f.) Mit der Fabel von Adler und Fuchs warnt Luther die »Hurneusel«, die Hornissen als Bild für große Übeltäter.

Die Fabel vom *Adler und Fuchs* (WA TR 4,597)(Mai/Juni 1540), die zu den ältesten europäischen Fabeln gehört und uns fragmentarisch bereits von Archilochos bekannt ist und die Steinhöwel in der Fassung des Phädrus und Romulus überliefert, hatte Luther bei seiner Steinhöwel-Bearbeitung bezeichnenderweise übersprungen.

Die rekonstruierte Fassung des *Archilochos* lautet (nach Harry C. Schnur S. 39 f.):


### Adler und Fuchs

Eine Fabel des Archilochos, rekonstruiert aus seinen Fragmenten (89-93 D) und Aesop (H 5)
> Vater Lykambes, was hast du dir ausgedacht,
> und wer hat dich um den Verstand gebracht,
> den du zuvor besessen? Von den Bürgern wirst
> du jetzt gewaltig ausgelacht.
> Den Menschen ist die Fabel wohlbekannt, wonach
> einst Fuchs und Adler einen Freundschaftsbund geschlossen.
Darum beschlossen sie, zusammen zu wohnen. Der Adler baute also auf einem sehr hohen Baum sein Nest und brütete seine Jungen aus, der Fuchs aber brachte im Gebüsch am Fuß des Baumes seine Jungen zur Welt. Als aber der Fuchs eines Tages auf Nahrungssuche ausgegangen war, stieß der Adler, dem es an Futter fehlte, herab ins Gebüsch, packte die jungen Füchse und setzte seinen Jungen böse Mahlzeit vor.

Als der Fuchs zurückkam und sah, was vorgefallen war, erbitterte ihn der Tod seiner Jungen weniger als der Umstand, daß er sich nicht rächen konnte, denn da er ein am Erdboden lebendes Tier war, konnte er einen Vogel nicht verfolgen. So stand er weitab und tat das Einzige, was Schwachen und Hilflosen übrig bleibt: er verfluchte seinen Feind. ⟨Der aber verhöhnte ihn noch und sprach:⟩
> Siehst du, wo dieser hohe Felsen steht,
> bösartig schroff und steil? Und oben drauf
> sitzt er, der deiner Fehde wenig achtet nur.

Doch war es ihm beschieden, auf Bestrafung des frevelhaften Freundschaftsbruches nicht lange warten zu müssen. Als nämlich Bauern eine Ziege opferten, stieß der Adler herab und trug vom Altar ein Stück Eingeweide fort, das noch brannte. Das brachte er in sein Nest: da erhob sich plötzlich ein Wind und fachte in dem aus leichten, dürren Zweigen gebauten Nest eine helle Lohe an. Die Adlerjungen, noch unflügge, verbrannten und fielen zu Boden: der Fuchs eilte herbei und fraß sie alle vor den Augen des Adlers auf.

Diese Erzählung beweist, daß wer die Freundschaft verrät, mag er auch der Strafe des Verletzten entrinnen, doch der Rache der Götter nicht entgehen kann.

Heinrich Steinhöwel überliefert die Fabel von *Adler und Fuchs* in der Fassung des *Phädrus* und *Romulus*. Sie lautet (nach Österley S. 95 f.):

Die mächtigen söllent die nidern nit verachten, als dise fabel bezüget. Ain adler nam ainem fuchs sine jungen fuchslin, und füret sie in syn nest ze spysen syne jungen. Der fuchs lief hinauch und bat den adler, im syne welffly wider ze geben. Aber der adler verachtet in als den mindern, an dem wenig läge. Der fuchs waz böslistig und nam ainen brand von dem altar, dar uff von geschicht ain offer bran und umbgab den nestbom mit dürrem holcz und stupfeln und zündet die an. So bald aber der rouch und flamm knalczen und uffriechen wurden zuo den jungen in daz nest, do ward der adler laider und sorgfeltig umb syne kind, das sie nicht mit den jungen füchsen verdürbent, und bat den fuchs ab ze laußen, so wölt er im syne kind ouch frisch und gesund wider antwürten. Dise fabel leret die menschen, daz die nidern nit söllen verachtet oder gelecztet werden, daz sie nit gestraffet werden mit dem feüwer der rauch und götlicher gerechtikait. Als dise fabel in gelicher mainung, doch mit andern worten, in den nüwen fabeln die erst ist ußwyset, und ouch die dritt von dem adler und dem kefer.

*Fabula* (WA TR 2,92) (April 1532)

*Fabula contra sciolos* (WA TR 3,360 f.) (Dezember 1536)

*Vom Esel* (WA TR 1,499).

*Von der Fliege auf einem Fuder Heu* (WA TR 2,381 f.) (August/Dezember 1531). – Johann Cochläus veröffentlichte 1529 einen »Lutherus septiceps«. Der Titelholzschnitt dieser Schrift zeigt Martin Luther mit sieben Köpfen, die ohne Hals auf der Brust sitzen.

*Von dem Versiculo* (WA TR 6,360) zeigt, daß Luthers Fabulieren auch die Tischgenossen zum Erzählen von Fabeln anregte und daß auch Melanchthon ein »Fabul-Hans« gewesen ist.

*Von Marcolfo und König Salomo* (WA TR 4,659) (Juni 1540)

*Waren auch Kleien da?* (WA TR 3,499 f.) (1534)

*Sperling und Schwalbe* (WA TR 4,663 f.) (Juni 1540)

*Vom Platzregen und den großen Hansen* (WA TR 1,172 f.) (Dezember 1532). – Luther war mit dem Kurprinzen Joachim II. von Brandenburg im November 1532 in Wörlitz (nicht in Wittenberg) zusammengewesen, jedoch von ihm nicht »hart angesprochen« worden, wie es im Text heißt.

*Gleichnisse der Kirche* (WA TR 2,271 und WA TR 6,184 f.)

*Gleichnis eines Christenlebens* (WA TR 5,628 f.)

# Tiervergleiche

*Christus als Ichneumon* (WA TR 4,35) (August 1538) Das Ichneumon ist eine so ähnlich wie ein Marder aussehende Schleichkatze. Sie kommt gelegentlich in der orientalischen Fabel vor (vgl. Dithmar 1988, S. 67 f.)

*Der Vogel als Bild des Gottvertrauens* (WA TR 3,224) (Juni 1532)

*Der Teufel als Fliege* (WA TR 6,244)

*Die Ketzer als Wölfe und Füchse* (WA TR 6,244)

*Der Papst*

als Kuckuck (WA TR 4,571 f.) (Mai 1540)
als Löwe und Drache (WA TR 5,460)
als Chimäre (WA TR 1,54) (November/Dezember 1531)
als Bärwolf (WA TR 4,387) (Mai 1539)
des Papstes dreifächtige Krone (WA TR 1,473 f.)
der auf einer Sau reitende Papst (WA TR 6,19)

Zwei der zahlreichen »bösen Bilder«, die teilweise in Absprache mit Luther in der Werkstatt von Lukas Cranach entstanden, haben wir zur Veranschaulichung in diese Edition aufgenommen. In der Holzschnittfolge »Passional Christi und Antichristi«, die als reformatorische Flugschrift auf 26 Blättern erschien, wird der hier nachgedruckte Holzschnitt »Der Papst läßt sich den Fuß küssen« der Fußwaschung Jesu kontrastiert. – Die »dreifächtige Krone« trägt nicht nur die babylonische Hure, man findet sie auch auf zwei weiteren der 21 Holzschnitte, mit denen Lukas Cranach Luthers im September 1522 erschienene Übersetzung des Neuen Testaments illustrierte. Diese sogenannte Septemberbibel wurde trotz des hohen Preises so gut verkauft, daß sie bereits drei Monate später nachgedruckt wurde. Die Druckfehler blieben, geändert wurde lediglich die Anspielung auf die päpstliche Tiara. Zu den Papstspottbildern und -texten vgl. WA 54,349ff. und die Bilder im Anhang dieses Bandes.

### Luthers Theorie und Urteile über die Fabel

Die *Vorrede* (WA 50,452-455) zu seiner Äsop-Bearbeitung, die Luther ebenfalls 1530 auf der Coburg schrieb, besteht – etwas schematisiert – aus fünf Sequenzen.

(1.) Luther skizziert die hervorragende Bedeutung der äsopischen Fabel als Lebenslehre im weltlichen Reich.

(2.) In seinen Spekulationen über den legendären Ahnherrn der Gattung bestreitet Luther die reale Existenz des phrygischen Sklaven, versteht ihn vielmehr als eine Erfindung, um die Wirkung der Fabeln auf die Jugend durch die Gestalt des Narren als Erzähler zu verstärken.

(3.) Unvermittelt geht Luther von der Jugend zu den Fürsten und Herren als Adressaten über. Hier wird die andere Spitze der Narrenkappe deutlich. Hier geht es nicht mehr um Kunst und Weisheit, um Maske und vermummte Gestalt, sondern um die Bedeutung der Wahrheit im politischen Leben und um die Gefahr für denjenigen, der sie zu sagen wagt. Hier ist auch Äsop nicht mehr der »Fastnachtsputz«, der Narr, sondern der reale oder fiktive Dichter, der wegen und trotz seiner Fabeln vom Felsen gestürzt wurde. Die Wirkung der Fabel ist hier eine ganz andere. Sie treibt dem Hörer den Schweiß auf die Stirn; denn die Wahrheit »ist das unleidlichste ding auff Erden«.

(4.) Luther bricht den Gedankengang ab und kehrt ebenso unvermittelt, wie er die Fürstenpassage begonnen hatte, wieder zu seinem eigentlichen Anliegen zurück: Steinhöwels Äsop soll um der Jugend willen gesäubert werden, um kein Ärgernis zu geben. Er wird, wie ich bereits in der Einleitung erwähnte, ungerechtfertigt heftig, zwar nicht persönlich wie gegen den »Grickel« Agricola, aber mit derselben Intention. Dabei verliert die Fabel die Funktion, die Luther ihr in der Fürstenpassage zugeschrieben hatte. Hier treibt sie keinen Schweiß auf die Stirn, sondern ist lustig und lieblich, ist erbaulich, züchtig und nützlich. Hier beginnt die Pädagogisierung der Fabel.

(5.) Am Ende der Vorrede bringt Luther zwei Beispiele für die von ihm gewünschte Rezeption und zeigt damit, daß er nicht nur an die Schule denkt. Der Hausvater soll bei Tisch mit Weib und Kind, Knecht und Magd Fabeln erzählen und besprechen.

Für seine Ansicht, daß Äsop eine nur fiktive Gestalt ist, beruft sich Luther auf *Quintilian*, der in der *Institutio oratoriae* (V. 11,19) schreibt: »illae quoque fabellae, quae, etiam si orginem non ab Aesopo acceperunt (nam videtur earum primus auctor Hesiodus), nomine tamen Aesopi maxime celebrantur ducere animos solent praecipue rusticorum et imperitorum qui et simplicius quae ficta sunt audiunt, et capti voluptate facile iis, quibus delectantur, consentiunt: si quidem et Menenius Agrippa plebem cum patribus in gratiam traditur reduxisse nota illa de membris humanis adversus ventrem discordantibus fabula.«

(Auch die Fabeln, die, wenn sie auch nicht ihren Ursprung bei Aesop haben – denn offenbar ist Hesiod der erste Gewährsmann für sie –, doch durch den Namen des Aesop vor allem berühmt sind, pflegen auf die Herzen vor allem von Bauern und Ungebildeten zu wirken, die solche Erfindungen in harmloserer Art anhören und voll Vergnügen leicht auch mit denen, denen sie den Genuß verdanken, einverstanden sind: wie ja auch nach unserer Überlieferung Menenius Agrippa die Plebejer mit den Patriziern dadurch wieder ausgesöhnt hat, daß er ihnen die bekannte Fabel von den menschlichen Gliedmaßen erzählte, die sich gegen den Bauch empörten.)

Ergänzend zu den Illustrationen einzelner Fabeln haben wir sechs Holzschnitte des Ulmer Äsop zur Vita in diese Edition aufgenommen: (1) Ein Priester bittet die Göttin Isis, die Äsop mit Weisheit und der Fähigkeit, Fabeln zu erfinden, begabt. (2) Die Speise, die er der »Gutwilligsten« bringen soll, gibt Äsop dem Hund und nicht der Frau des Xanthos. (3) Auf die Frage seines Herrn, warum die Menschen ihren Stuhlgang beschauen, erzählt Äsop, daß einmal ein weiser Mann mit dem Stuhlgang seinen Verstand verloren habe. Aber Xanthos könne unbesorgt sein; »denn was man nicht hat, das kann man nicht verlieren«. (4) Äsop deutet das Wunderzeichen von Adler und Ring. (5) Äsop wird verhaftet und (6) vom Felsen gestürzt.

*Von Äsop* (WA TR 4,126). – Obwohl Luther die auf der Coburg begonnene Fabelbearbeitung, die ihm im Interesse der Jugend so wichtig war, nie mehr fortsetzte, hat er die Gattung zeitlebens geschätzt. So liest er beispielsweise am 6.11.1538 bei Tisch aus der Vorrede und preist den ESOPUS wie damals.

*Esopus* (WA 51,242 f.) – Dieser Textstelle vorausgegangen ist in Luthers Auslegung des 101. Psalms der eindringliche Hinweis auf die Unterscheidung der beiden Reiche. »Ich mus jmer solch unterscheid dieser zweier Reich ein blewen und ein kewen, ein treiben und ein keilen, obs wol so offt, das verdrieslich ist, geschrieben und gesagt ist. Denn der leidige teuffel höret auch nicht auff diese zwey Reich jnn einander zu kochen und zu brewen. Die weltlichen herrn wollen jns teufels namen jmer Christum leren und meistern, wie er seine kirche und geistlich Regiment sol füren. So wollen die falschen Pfaffen und Rottengeister nicht jnn Gottes namen jmer leren und meistern, wie man solle das weltliche Regiment ordenen, Und ist also der Teuffel zu beiden seiten fast seer unmüssig und hat viel zu thun. Gott wolt jm weren, Amen, so wirs werd sind.« (WA 51,239)

## Äsops Fabeln (WA TR 6,16)

*Aesopi commendatio und Vom Nutzen der Fabel* (WA TR 3,353-355). – Obwohl Luther seine Coburger Arbeit am Äsop nach wenigen Wochen abbrach und später nicht mehr fortsetzte, entwickelt er sechs Jahre danach in dieser Tischrede einen Plan und setzt Prioritäten. Welche Fabeln er zu den »concinniores«, den mehr kunstvollen oder witzigen Fabeln zählt, die ins zweite Buch gehören, und was als »reliquae«, als Rest für das dritte Buch bleibt, erfahren wir nicht. Luther erwähnt sie nur. Sein Interesse gilt dem ersten Buch, das die »graves«, die gewichtigen Fabeln enthält, die gedanken- und erfahrungsreichen und für die Gemeinschaft nützlichen. Daß Luther hier an einen bestimmten Übersetzer oder Bearbeiter denkt, ist sehr unwahrscheinlich, an sich selbst sicher nicht. Von der Coburger Konzeption unterscheidet sich der neue Plan vor allem deshalb, weil der Versuch einer Pädagogisierung der Fabel überwunden ist.

Was er unter einer *fabula gravis* versteht, erläutert Luther in dieser Tischrede an fünf Beispielen. Interessanter als die ersten drei Fabeln, die wir auch in seiner Äsop-Bearbeitung finden, und der letzten mit der Lehre, daß man nicht mehr zum Kauf anbieten soll, als man hat, ist das vierte Beispiel für eine fabula gravis. Sie folgt nicht zufällig auf die Fabel vom Löwenanteil, die in Luthers Äsop-Bearbeitung in der zweiten Fassung ebenfalls die Lehre enthält, daß man aus dem Schaden anderer klug werden soll. Daß Luther damals diese Lehre im Manuskript wieder gestrichen hat, besagt nicht, daß Luther etwas gegen den asinus in fabula hat. Diese bei Tisch erzählte Fabel zeigt Luthers Meisterschaft im Fabulieren und zugleich sein Interesse an dem listigen Fabelfuchs.

(WA 51,645-662). – In der bereits erwähnten Lutherbiografie in Predigten berichtet Johannes Mathesius in der zwölften Predigt seiner Gemeinde über Luthers Interesse an Sprichwörtern u.ä., das er vor allem als Tischgenosse des Reformators kennenlernte. Wie in der Vorrede zu seiner Fabelsammlung empört sich Luther auch hier wieder über alles, was ihm unzüchtig erscheint und nur dem Gelächter dient (vgl. WA 51,639 = S. 121 dieser Ausgabe). Mathesius überliefert (S. 288):

»Ach wie offt hab ich jhn wider der Chorherrn vnzucht / mit grossem ernst hören reden / auch wider jre zucht / die vnfletigen Chorschuler / die vil schöner sprüche sehr Gottloß vnd garstig deuteten vnd außlegten. Der leydige Teuffel hat sein vnflat an viel schöner text geschmirt / damit sich die Clerisey pfleget zu kützeln vnnd kurtzweyl damit zutreiben. Auffn Sebastian Francken / den er auch in seinen schrifften ein Lateinische kunsthummel nennet / war er sehr zornig / das er dem Ehestand und Weyblichen geschlecht zu vnehren / vil schendtlicher sprichwörter hat drucken lassen. Wer von Frawen / Jungfrawen / Obrigkeyt vnd Priesterschafft vbel und garstig redet / der ist nicht ehren werd / sagt er.«

Schärfer noch als die Sammlung von *Sebastian Franck*, die 1541 erschien und weit verbreitet war, verurteilt Luther die 1529 und in erweiterter Auflage 1532 erschienene deutsche Sprichwörtersammlung des »großmäuligen Grickel« *Johann Agricola.*

»Es ist ein fein Ding umb proverbia germanica undt sind starckhe beweissung; unndt were fein, so sie einer zusammen gelessen hette. M. Grickel hat nur possen unndt fluch zusammen gelessen, domit er ein gelechter macht; man mus die besten nemen, die ein ansehen haben. Der Teuffel ist den Sprichwortten feindt.« (zit.n. Thiele 1900, S. XVII)

Der Teufel spielt in Luthers Sprichwörtern eine nicht geringe

Rolle, wie die folgenden drei Beispiele (WA 51,637) zeigen:
»Wers kan, dem kompt es, saget der Teufel, der krigte am osterabende ein par hosen zu flicken.« – »Zeugk macht meister, sagte der Teufell, schindet ein kue mit eynem nebriger (=Bohrer)!« – »Es ist das vihe im stalle wie der wirth, sagt der Teufel und jagte seiner mutter eine flige in arsch.« (WA 51,637)

In seine »gereinigte« Sammlung hat Luther diese Sprichwörter nur in Kurzform und ohne den Teufel aufgenommen (vgl. Nr. 74, 78, 76), mit dem »Teufelsdreck« zugleich auch den Teufel selbst gestrichen.

Vielleicht ergibt sich das aus Luthers Bemühen, ebenso wie die Fabeln auch die deutschen Sprichwörter zu reinigen. »Der Teuffel ist auch den spruchwortern feindt. Drumb hat er seine geister (seinen geiffer?) dran geschmirt, wie an vil spruch der schrifft, damit ers mit seim spott verdechtig machte und die leu davon furet. Wir mussen aber den Teuffels dreck darvon thun und die spruchwörtter erretten.« (WA 51,638)

Johannes Mathesius beendet seine Ausführungen mit dem Wunsch nach einem Sammler (S. 296f.), weiß also offensichtlich nicht, daß Luther seine Sprichwörter bereits selbst gesammelt hatte.

»Wir wöllen dißmals beschliessen / Gott wird ein mal einen erwecken / der diß theuren Mannes sprüch / gleichnus / sprichwörter / reim / historien / vnd andere zufell vnd guten bericht zusamen lese / wie es für die Deutschen ein sehr schön buch were / wenn zumal vnser Keyser / Könige / Fürsten vnd Herrn / weyse vnnd vernünfftige sprüche darzu kemen.«

Luthers Sprichwörtersammlung entstand, wie Ernst Thiele (1900, S. XVIII) vermutet, unmittelbar nach dem Esopus, ebenfalls bereits 1530. Nicht nur seine Äsop-Bearbeitung, sondern seine Schriften überhaupt sind reich an Sprichworten. Aber in dem Bemühen um einen »gereinigten« Äsop gewinnt Luthers Interesse am Sprichwort eine Bedeutung, die ihn bisweilen seine ursprüngliche Intention vergessen läßt.

Die von Luther an die äsopischen Fabeln gefügten Sprichwörter findet man, wie ich durch einige Anmerkungen deutlich zu machen suchte, vielfach auch in Luthers Sprichwörtersammlung, die ihm vielleicht nur Mittel zum Zweck war und nicht zur eigenständigen Veröffentlichung bestimmt (was Ernst Thiele anfangs vermutet und später wieder in Frage stellt; vgl. Thiele 1900, S. XVIII und WA 51,638).

Ernst Thiele veröffentlichte erstmalig nicht nur die *Fabelhandschrift* aus der Vaticana, sondern 1900 auch Luthers *Sprichwörtersammlung* aus der Bibliotheca Bodleiana zu Oxford, zehn Jahre nachdem sie von Julius Köstlin wiederentdeckt worden war, und ergänzte einen Anmerkungsteil von mehr als vierhundert Seiten. Sein Werk ist auch heute noch grundlegend für die Arbeit auf diesem Gebiet. Erklärungen zu Luthers Sprichwörtersammlung und Hinweise auf die Schriften, in denen Luther das jeweilige Sprichwort verwendet, findet man auch WA 51,665-726.

Ergänzungen

*S. 215 Z. 5 v. u.:*
Die Abbildung WA 45 Anhang trägt die Unterschrift:
Was Gott selbst vom Bapstum hellt
Zeigt dis schrecklich bild hie gestellt:
Dafür jederman grawen sollt:
Wenn ers zu hertzen nemen wollt.
Mart: Luth: D

*S. 217 Z. 8:*
Luthers Brief an die Wittenberger Tischgesellen ist in seiner Echtheit umstritten (vgl. WA Br 5,292 und WA Br 13,127f.).

*S. 226 Z. 4:*
Zu Christus als Ichneumon gibt es die wichtige Parallele vom geköderten Leviathan bei Luther (vgl. Theobald Beer, Der fröhliche Wechsel und Streit, Bd. 1, Leipzig 1974, S. 213 bis 221).

*Etliche Fabeln aus Esopo*

»Vom Han und Perlin« (vgl. S. 25)
»Vom Wolff und lemlin« (vgl. S. 29)

*»Vom frosch und der Maus«* (vgl. S. 33)

237

»Vom Hunde und Schaf« (vgl. S. 35)

»Vom Hunde im Wasser« (vgl. S. 37)

»Frevel. Gewalt« (vgl. S. 39)

*»Vom Diebe«* (vgl. S. 44)

*» Vom Kranich und Wolffe «* (vgl. S. 47)

*»Vom Hund und der hundin«* (vgl. S. 48)

*»Vom Esel und lewen«* (vgl. S. 49)

*»Eine Stadmaus gieng spatzieren ...«* (vgl. S. 51)

*»Vom Raben und fuchse«* (vgl. S. 53)

# Literaturhinweise

Wolf *v. Both*, Luther und die Fabel, Diss. phil. Breslau 1927

Die Fabeln des Erasmus Alberus, hg. v. Wilhelm *Braune*, Halle a. S. 892

Martin *Brecht*, Luther als Schriftsteller, Stuttgart 1990

Texte zur Theorie von Fabeln, Parabeln und Gleichnissen, hg.v. Reinhard *Dithmar*, München 1982

Fabeln, Parabeln und Gleichnisse, hg.v. Reinhard *Dithmar*, 8. Aufl., München 1988

Klaus *Doderer*, Über das »betriegen zur Wahrheit«. Die Fabelbearbeitungen Martin Luthers. In: Wirkendes Wort 1964, S. 379-388

Klaus *Düwel*, und Jörg *Ohlemacher*, »das ist der wellt lauf.« Zugänge zu Luthers Fabelbearbeitung. In: Martin Luther, hg. v. Heinz Ludwig Arnold, München 1983, S. 121-143

Adalbert *Elschenbroich*, Die Fabelpredigt des Johannes Mathesius. Zum Problem der Analogie und Allegorie in der Geschichte der Fabel. In: Formen und Funktionen der Allegorie. Symposion Wolfenbüttel 1978, hg. v. Walter Haug, Stuttgart 1979, S. 452-477

Dichtungen von Martin Luther, hg. v. Karl *Goedeke*, Leipzig 1883 (Deutsche Dichter des 16. Jahrhunderts, hg. v. K. Goedeke und J. Tittmann Bd. 18)

Luthers Sprichwörter aus seinen Schriften gesammelt und in Druck gegeben von J. A. *Heuseler*, Leipzig 1824. Unveränderter Nachdruck Walluf bei Wiesbaden 1973

Wolfgang *Kayser*, Die Grundlagen der deutschen Fabeldichtung des 16. und 18. Jahrhunderts. In: Archiv für das Studium der neueren Sprachen, Jg. 86, Bd. 160, 1931, S. 19-33

Johannes *Mathesius*, Ausgewählte Werke, 3. Bd.: Luthers Leben in Predigten, hg. v. Georg Loesche, Prag 1898

Richard *Neubauer*, Martin Luther, 2 Teile, 2. Teil, Halle/Saale 1891 (Denkmäler der Älteren deutschen Litteratur, hg. v. G. Bötticher und K. Kinzel III.2.2)

Steinhöwels Äsop, hg. v. Hermann *Österley*, Tübingen 1873

Ernst Heinrich *Rehermann* und Ines *Köhler-Zülch*, Aspekte der Gesellschafts- und Kirchenkritik in den Fabeln von Martin Luther, Nathanael Chytraeus und Burkard Waldis. In: Die Fabel, hg.v. Peter Hasubek, Berlin 1982, S. 27-42

Lutz *Röhrich*, Lexikon der sprichwörtlichen Redensarten, 2 Bde, Freiburg 1973 – 5. Aufl., Freiburg 1988 (Unveränderte Taschenbuchausgabe)

Arno *Schirokauer*, Luthers Arbeit am Äsop. In: Modern Language Notes, Volume LXII, Februar 1947, Nr. 2, S. 73-84

Arno *Schirokauer*, Die Stellung Äsops in der Literatur des Mittelalters. In: Festschrift für Wolfgang Stammler, Berlin 1953, S. 179-191

Fabeln der Antike. Griechisch und lateinisch, hg. und übersetzt von Harry C. *Schnur*, München 1978

Joh. Balth. *Schupp*, Schrifften, 1663

Klaus *Speckenbach,* Die Fabel von der Fabel. Zur Überlieferungsgeschichte der Fabel von Hahn und Perle. In: Frühmittelalterliche Studien, hg. v. Karl Hauck, 12. Band, Berlin-New York 1978, S. 178-229

Martin Luthers Fabeln. Nach seiner Handschrift und den Drucken mit einem vergleichenden Teil von Boner bis Krylow. Neu hg. v. Willi *Steinberg*, Halle (Saale) 1961

Dolf *Sternberger,* Figuren der Fabel, Berlin und Frankfurt 1950

Luthers Sprichwörtersammlung. Nach seiner Handschrift zum ersten Male herausgegeben und mit Anmerkungen versehen von Ernst *Thiele*, Prediger in Magdeburg, Weimar 1900

Luthers Fabeln nach seiner Handschrift und den Drucken neubearbeitet von Ernst *Thiele* (1888), 2. Aufl., Halle (Saale) 1911

Deutsches Sprichwörter-Lexikon. Ein Hausschatz für das deutsche Volk, hg. v. Karl Friedrich Wilhelm *Wander,* 5 Bde. Leipzig 1876 ff. Nachdruck 1963

Herbert *Wolf,* Martin Luther. Eine Einführung in germanistische Luther-Studien, Stuttgart 1980 (Sammlung Metzler 193), S.144-148

Für freundliche Hinweise danke ich
Herrn Prof. D. Dr. Martin Brecht D. D. (Münster).

# THE BIG BLOW

# JOE R. LANSDALE

Subterranean Press • 2000

**FIRST EDITION**
October 2000

**Limited edition ISBN**
1-892284-97-9

**Trade edition ISBN**
1-892284-98-7

**Subterranean Press**
P.O. Box 190106
Burton, MI 48519

**email:**
publisher@subterraneanpress.com

**website:**
www.subterraneanpress.com

**Author's note:** *This novel is based on a short version titled "The Big Blow" that first appeared in* Revelations, *published in 1997 by HarperCollins, edited by Douglas Winter.*

This is for a very fine writer and friend,
Norman Partridge.

The inhabitants of those islands we now call the West Indies, at least once a year, found their paradise subject to a horrible god that brought savage wind and rain, and finally devastation. They called their terrible god *Hurakan*.

In the beginning, five thousand miles away from Galveston, out in the Atlantic, the surface water of the deeps reached a comfortable temperature of eighty-one degrees. Way up high the conditions of the atmosphere allowed the warm air from the great ocean to rise, and it rose, and the trade winds from the east met this moment in time, and the sky and the sea were disturbed.

And from this, *It* was born.

**TUESDAY, SEPTEMBER 4, 1900**
**4:00 p.m.**

*Telegraphed message from WASHINGTON, D.C. Weather Bureau, to Isaac Cline, GALVESTON, TEXAS Weather Bureau:*

## TELEGRAM

Tropical storm disturbance moving northward over Cuba.

# 6:30 p.m.

On an afternoon hotter than two rats fucking in a wool sock, John McBride, six-foot-one-and-a-half inches, two-hundred and twenty pounds, ham-handed, built like a wild boar, and of similar disposition, arrived by ferry from mainland Texas to Galveston Island, a six-gun under his coat, and a razor in his shoe.

As the ferry docked, McBride set his suitcase down, removed the bowler, took a crisp white handkerchief from inside his coat, wiped the bowler's sweat band with it, used it to mop his forehead, ran it over his thinning black hair, and put his hat back on.

An old Chinese guy in San Francisco told him he was losing his hair because he always wore hats, and McBride decided maybe he was right, but now he wore the hats to hide his baldness. At thirty, he felt he was too young to lose his hair.

The Chinaman had given him a sweet smelling tonic for his problem at a considerable sum.

McBride used it religiously, rubbed it into his scalp. So far, all he could see it had done was shine his bald spot. He ever got back to Frisco, he was gonna look that Chinaman up, maybe knock a few knots on his head.

As McBride picked up his suitcase and stepped off the ferry with the others, he observed the sky. It appeared green as a pool table cloth. The sun, scarlet as a whore's lips, dipped down from the sky to drink from the Gulf; McBride almost expected to see steam rise up from beyond the island. He took in a deep breath of sea air and thought it tasted all right. It made him hungry. That was why he was here. He was hungry. First on the menu was a woman, then a steak, then some rest before the final course— the thing he had come for. A good solid basic nigger whipping.

He hired a mule drawn buggy to take him to a poke house he had been told about by his employers, the fellows who had paid his way from Chicago. According to what they said, there was a redhead there so good and tight she'd make you sing soprano. Way he felt, if she was redheaded, female and ready, he'd be all right, and to hell with the song. And if she wasn't tight, he'd tie a board to his ass so he wouldn't fall in.

Whatever the result, it was on The Sporting Club's tab anyway.

As the buggy trotted along, McBride took in Galveston. It was a Southerner's version of New York, with a touch of the tropics. Houses were upraised on stilts—thick support posts, actually—against the washing of storm waters, and the Beach Hotel was as magnificent and garish as anything McBride had seen anywhere. It was mauve colored with bright green eaves and its great dome was striped garishly in red and white. In McBride's mind, the color scheme brought to mind what he would think the king of all circus clowns would choose for his own home. Out front a fountain gurgled a steady supply of fresh water in a magnificently wasteful manner.

McBride could see a number of men dressed out in their finest coats and top hats wandering in and out of the hotel. Scandalously un-chaperoned women in brightly colored dresses were visible as well. McBride smiled at that. He had heard that nude bathing was popular on the beach at late hours, and from the looks of some of these women, he hoped they were partakers of the habit.

In the city proper the houses looked to be fresh off deep south plantations. City Hall had apparently been constructed by an architect with a Moorish background. It was ripe with domes and spirals. The style collided with a magnificent clock housed in the building's highest point, a peaked tower. The clock was like a miniature Big Ben. England meets the Middle East.

Electric street cars hissed along the streets, and there were a large number of bicycles, carriages, buggies, and pedestrians. McBride even saw one automobile.

The streets themselves were made of buried wooden blocks that McBride recognized as ship ballast. Some of the streets were made of white shell, and some were hardened sand. He liked what he saw, thought: Maybe, after I do in the nigger, I'll stick around a while. Take in the sun at the beach. Find a way to get my fingers in a little solid graft of some sort. Gambling. Sell some pussy.

When McBride got to the whorehouse behind The Sporting Club, it was almost full dark. He gave the colored driver a big tip, cocked his bowler, grabbed his suitcase, went through the ornate iron gate, and up the steps, on inside to get his tumblers clicked.

After giving his name to the plump madam, who looked as if she could still grind a customer or two out herself, perhaps two at a time, he was given the royalty treatment. The madam herself took him upstairs, undressed him, folded his clothes, put his gun, matches, cigars and razor on the night stand, then bathed his hammer in a wash basin of water with a white cloth and a lump of sweet soap. In the basin water gardenia petals floated.

When he was clean, she dried him off, nestled him in a clean bed that smelled slightly of cheap disinfectant soap, fluffed his pillow and put it beneath his head, kissed him on the forehead, as if he were her little boy, then toddled off.

The moment she left, McBride climbed out of bed, got in front of the mirror on the dresser and combed his hair, trying to push as much as possible over the bald spot. He had just gotten it arranged and gone back to bed when the redhead entered. She was carrying a small box of strong smelling rose petals. She smiled and tossed them on the sheets. She undressed while McBride watched.

She was green-eyed and a little thick-waisted, but not bad to look at. She had fire-red hair on her head and a darker fire between her legs, which were white as the sheets he was lying on and smooth as a newborn pig's ass.

He reached up and pulled her into bed, started off by hurting her a little, tweaking her nipples, just to show her who was boss. She pretended to like it. Kind of money his employers were paying, he figured she'd have dipped a turd in gravel and rolled it around the floor with her nose and pretended to like it if he had asked her to do it.

McBride roughed her bottom some with his ham hands, then got in the saddle and bucked a few. Later on, when she got a little slow about doing what he wanted, he blacked one of her eyes. She whimpered briefly, went silent, curled up next to him, waiting for whatever he might deliver, a punch, a dick, a word.

When the representatives of The Galveston Sporting Club showed up, he was lying in bed with the redhead, uncovered, letting a hot wind blow through the open windows to dry his and the redhead's juices.

The madam let the club members in and went away. There were four of them, all dressed in evening wear with top hats in their hands. Two were grey-haired and grey-whiskered. The other two were younger men. One was large, had a face that looked as if it regularly stopped cannon balls. Both eyes were black from a recent encounter. His nose was flat and strayed to the left of his face as if looking for a new place to lie down. He did his breathing through his mouth. He didn't have any top front teeth.

The other young man was slight and a dandy. This, McBride assumed, would be Ronald Beems, the man who had written him on behalf of the Sporting Club.

Everything about Beems annoyed McBride. His suit, unlike the wrinkled and drooping suits of the others, looked fresh-pressed, unresponsive to the afternoon's humidity. He smelled faintly of mothballs and naphtha, and some sort of hair tonic that had ginger as a base. He wore a thin little mustache and the sort of hair McBride wished he had, black, full and longish, with mutton chop sideburns. He had perfect features. No fist had ever touched those. He stood as stiff as if he had a hoe handle up his ass.

Beems, like the others, looked at McBride and the redhead with more than a little astonishment. McBride lay with his legs spread and his back propped against a pillow. He looked very big there. His legs and shoulders and arms were thick and twisted with muscle and glazed in sweat. His stomach protruded a bit, but it was hard looking.

The whore, sweaty, eye blacked, legs spread, breasts drooping from the heat, looked more embarrassed than McBride. She wanted to cover, but she didn't move. Fresh in her memory was that punch to the eye.

"For heaven's sake, man," Beems said. "Cover yourself."

"What the hell you think we've been doin' in here?" McBride said. "Playin' checkers?"

"There's no need to be open about it. A man's pleasure is taken in private."

"Certainly you've seen balls before," McBride said, reaching for a cigar that lay on the table next to his revolver and a box of matches. Then he smiled and studied Beems. "Then maybe you ain't...And then again, maybe, well, you've seen plenty and close up."

"You disgusting sonofabitch," Beems said.

"That's telling me," McBride said. "I'm cut to the goddamn core." McBride patted the redhead's inner thigh. "You recognize this business, don't you? You don't, I got to tell you about it. We men call it a woman, and that thing between her legs is the ole red snapper."

"We'll not conduct our affairs in this fashion," Beems said.

McBride smiled, took a match from the box, and lit the cigar. He puffed, said, "You dressed up pieces of shit brought me all the way down here from Chicago. I didn't ask to come. You offered me a job, and I took it, and I can untake it, it suits me. I got round trip money from you already. You sent for me and I came, and you set me up with a paid hair hole, and you're here for a meeting at a whore house, and now you're gonna tell me you're too special to look at my balls. Too prudish to look at pussy. Go on out, let me finish what I really want to finish. I'll be out of here come tomorrow, and you can whip your own nigger."

There was a moment of foot shuffling, and one of the elderly men leaned over and whispered to Beems. Beems breathed once, like a fish out of water, said, "Very well. There's not that much needs to be said. We want this nigger whipped, and we want him whipped bad. We understand in your last bout, the man died."

"Yeah," McBride said. "I killed him and fucked his old lady. Same night."

This was a lie, but McBride liked the sound of it. He liked the way their faces looked when he told it. The woman had actually been the man's half-sister, and the man had died three days later from the beating. His half-sister hadn't cared for him.

"And this was a white man?" Beems said.

"White as snow, and dead as a stone. Talk money."

"We've explained our financial offer."

"Talk it again. I like the sound of money."

"Three hundred dollars before you get in the ring with the nigger. Two hundred more if you beat him. A bonus of five hundred if you kill him. No prize fighter makes money like that. Not even John L. Sullivan."

"This must be one hated nigger. Why? He banging your dog?"

"That's our business."

"All right. But I'll take half of that three hundred now."

"That wasn't our deal."

"Now it is. And I'll be runnin' me a tab while I'm here too, and you assholes will pick it up."

More foot shuffling. Finally, the two elderly men got their heads together, then pulled out their wallets. They pooled their money, gave it to Beems. "These gentleman are our backers," Beems said. "This is Mr.—"

"I don't give a shit who they are," McBride said. "Give me the money."

Beems tossed it on the foot of the bed.

"Pick it up and bring it here," McBride said to Beems.

"I will not."

"Yes you will, cause you want me to beat this nigger. You want me to do it bad. And another reason is this: You don't, I'll get up and whip your dainty little ass all over this room."

Beems shook a little. "But why?"

"Because I can."

Beems, his face red as infection, gathered the bills from the bed, carried them around to McBride. He thrust them at McBride. McBride, fast as a duck on a june bug, grabbed Beems' wrist and pulled him forward, causing him to let go of the money and drop it onto McBride's chest. McBride pulled the cigar from his mouth with his free hand, stuck it against the back of Beems' thumb. Beems let out a squeal, said, "Forrest!"

The big man with no teeth and black eyes, started around the bed toward McBride. McBride said, "Step back, Charlie, or you'll have to hire you someone to yank this fella out of your ass."

Forrest hesitated, looked as if he might keep coming, then stepped back and hung his head.

McBride pulled Beems' captured hand between his legs and rubbed it over his sweaty balls a few times, then pushed him away. Beems stood with his mouth open, stared at his hand.

"I'm bull of the woods here," McBride said, "and it stays that way from here on out. You treat me with respect. I say, hold my rope while I pee, you hold it. I say, hold my balls off the sheet while I get a piece, you hold 'em. Otherwise, I just made one hundred and fifty and can start home."

Beems said, "You bastard. I could have you killed."

"Then do it. I hate your type. I hate someone I think's your type. I hate someone who likes your type or wants to be your type. I'd kill a dog liked to be with you. I hate all of you expensive bastards with money and no guts. I hate you cause you can't whip your own nigger, and I'm glad you can't, cause I can. And you'll pay me. And go ahead, send your killers around. See where it gets them. Where it gets you. And I hate your goddamn shitty hair, Beems."

"When this is over," Beems said, "you leave immediately!"

"I will, but not because of you, but because I can't stand you or your little pack of turds."

The big man with missing teeth raised his head, glared at McBride. McBride said, "Nigger whipped your ass, didn't he, Forrest?"

Forrest didn't say anything, but his face said a lot. McBride said. "You can't whip the nigger, so your boss sent for me, and I can whip him, so don't think for a moment you can whip me."

"Come on," Beems said. "Let's leave. The man makes me sick."

Beems joined the others, his hand held out to his side. The elderly gentleman looked as if they had just realized they were lost in the forest. They organized themselves enough to start out the door. Beems followed, turned before exiting, glared at McBride.

McBride said, "Don't wash that hand, Beems. You can say, 'Shake the hand of the man who shook the balls of Jim McBride.'"

"You go to hell," Beems said.

"Keep me posted," McBride said.

Beems left. McBride yelled after him and his crowd, "And gentleman, I've enjoyed doing business with you."

Later in the night, the redhead displeased him, and McBride popped her other eye, stretched her out, laid across her. Somewhere in the distance, perhaps caught on the wind and carried from the Beach Hotel, he could hear drunken singing, but he could neither make out the tune nor the words. He found the sound of it neither pleasant nor unpleasant. It just was.

Eventually the singing stopped. For an instant he thought of his mother and how she might be, then he fell asleep and dreamed he had a head of hair like Beems and that he was sitting in front of the mirror combing it, and when he turned he could see his suitcase lying open on a chair, and in it he could see the bloody head of the Chinaman who had sold him the hair tonic. Beside it was the nigger's head, but since he had never seen the man, the face was just a face, and then again he figured it really didn't matter. Chinamen all looked alike. And so did niggers.

The whore tried not to shift too much, lest she disturb McBride and get another punch. When she finally slept, she dreamed she was in the Philistine temple with a blind Samson after his hair had grown out, and that Samson had pulled the temple down on her and her ilk, and that a great pillar of stone lay across her body, slowly crushing the life from her.

Outside, the wind picked up slightly, blew hot brine-scented air down Galveston's streets and through the whorehouse window, and periodically it brought with it reinspired snatches of drunken song, until finally there was none of that left and there was only the wind.

The wind.

## 11:01 p.m.

The waves came in loud against the beach, and the night air was surprisingly heavy for so late at night. It lay thick and clinging to 'Lil' Arthur John Johnson's sweaty bare chest. He breathed in the air and blew it out; it was as if he were sucking in cotton and pushing it out again.

He pounded the railroad tie with all his might for the hundredth time that night. His right fist struck it, and the tie moved in the sand. He hooked it with a left, jammed it with a straight right, putting his entire six-foot, two-hundred pound frame into it. The tie went backwards, came out of the sand, and hit the beach.

Arthur stepped back and held out his broad, black hands and examined them in the moonlight. They were scuffed, but essentially sound. He walked down to the water and squatted and stuck his hands in, let the ocean roll over them. The salt didn't even burn. His hands were like leather. He rubbed them together, being sure to coat them completely with sea water. He cupped water in his palms, rubbed it on his face, over his shaved, bullet head.

Along with a number of other pounding exercises, he had been doing this for months, conditioning his hands and face with work and brine. Rumor was, this man he was to fight, this McBride, had fists like razors, fists that cut right through the gloves and tore the flesh.

'Lil' Arthur took another breath, and this one was filled not only with the smell of salt water and dead fish, but of raw sewage, which was regularly dumped off-shore in the Gulf and often floated by in green-black and brown clumps and colors in between.

'Lil' Arthur took his shovel and redug a hole in the sand and dropped the tie back in, patted it down, went back to work. This time, two socks and it came up. He repeated the washing of his hands and face, then picked up the tie, placed it on a broad shoulder and began to run down the beach. When he had gone a good distance, he switched shoulders and ran back. In spite of the heavy air, he didn't even feel winded.

He considered burying the tie and going at it again, but decided rest was more important.

He collected his shovel, and with the tie on one shoulder, started toward his family's shack in The Flats, also known as Nigger Town.

'Lil' Arthur left the tie in front of the shack and put the shovel on the sagging porch. He was about to go inside, when he saw a man start across the little excuse of a yard. The man was white. He was wearing dress clothes and a top hat.

When he was near the front porch, he stopped, took off his hat. It was Forrest Thomas, the man 'Lil' Arthur had beat unconscious three weeks back. Thomas was supposed to be the toughest man Galveston had to offer, but it had taken only till the middle of the third round for 'Lil' Arthur to drop him.

Even in the cloud-hazy moonlight, 'Lil' Arthur could see Forrest looked rough. For a moment, a fleeting moment, he almost felt bad about inflicting so much damage. But then he began to wonder if the man had a gun.

"Arthur," Forrest said. "I come to talk a minute, if'n it's all right."

This was certainly different from the night 'Lil' Arthur had climbed into the ring with him. Then, Forrest Thomas had been conceited and full of piss and vinegar and wore the word nigger on his lips as firmly as a cold sore. He was angry he had been reduced by his employer to fighting a black man. To hear him tell it, he deserved no less than John L. Sullivan, who refused to fight a negro, considering it a debasement to the heavy-weight title.

"Yeah," 'Lil' Arthur said, "What you want?"

"I ain't got nothing against you," Forrest said.

"Don't matter you do," 'Lil' Arthur said.

"You whupped me fair and square."

"I know, and I can do it again."

"I didn't think so before, but I know you can now."

"That's what you come to say? You got all dressed up, just to come talk to a nigger whupped you?"

"I come to say more."

"Say it. I'm tired."

"McBride's come in."

"That ain't tellin' me nothin'. I reckoned he'd come in sometime. How'm I gonna fight him, he don't come in?"

"You don't know anything about McBride. Not really. He killed a man in the ring, his last fight in Chicago. That's why Beems brought him in, to kill you. Beems and his bunch want you dead cause you whipped a white man. They don't care you whipped me. They care you whipped a white man. Beems figures it's an insult to the white race, a white man being beat by a colored. This McBride, he's got a shot at the championship of the world. He's that good."

"You tellin' me you concerned for me?"

"I'm tellin' you Beems and the members of the Sportin' Club can't take it. They lost a lot of money on bets, too. They got to set it right, see. I ain't no friend of yours, but I figure I owe you that. I come to warn you this McBride is a killer."

'Lil' Arthur listened to the crickets saw their legs a moment, then said, "If that worried me, this man being a killer, and I didn't fight him, that would look pretty good for your boss, wouldn't it? He could say the bad nigger didn't show up. That he was scared of a white man."

"You fight this McBride, there's a good chance he'll kill you or cripple you. Boxing being against the law, there won't be nobody there legal to keep check on things. Not really. Audience gonna be there ain't gonna say nothin'. They ain't supposed to be there anyway. You died, got hurt bad, you'd end up out there in the Gulf with a block of granite tied to your dick, and that'd be that."

"Sayin' I should run?"

"You run, it gives Beems face, and you don't take a beatin', maybe get killed. You figure it."

"You ain't doin' nothin' for me. You're just pimpin' for Beems. You tryin' to beat me with your mouth. Well, I ain't gonna take no beatin'. White. Colored. Striped. It don't matter. McBride gets in the ring, I'll knock him down. You go on back to Beems. Tell him I ain't scared, and I ain't gonna run. And ain't none of this workin'."

Forrest put his hat on. "Have it your way, nigger." He turned and walked away.

'Lil' Arthur started inside the house, but before he could open the door, his father, Henry, came out. He dragged his left leg behind him as he came, leaned on his cane. He wore a ragged undershirt and work pants. He was sweaty. Tired. Gray. Grayer yet in the muted moonlight.

"You ought not talk to a white man that way," Henry said. "Them Ku Kluxers'll come around."

"I ain't afraid of no Ku Kluxers."

"Yeah, well I am, and we be seeing what you say when you swinging from a rope, a pecker-wood cuttin' off yo balls. You ain't lived none yet. You ain't nothin' but twenty-two years old. Sit down, boy."

"Papa, you ain't me. I ain't got no bad leg. I ain't scared of nobody."

"I ain't always had no bad leg. Sit down."

'Lil' Arthur sat down beside his father. Henry said, "A colored man, he got to play the game, to win the game. You hear me?"

"I ain't seen you winnin' much."

Henry slapped 'Lil' Arthur quickly. It was fast, and 'Lil' Arthur realized where he had inherited his hand speed. "You shut yo face," Henry said. "Don't talk to your papa like that."

'Lil' Arthur reached up and touched his cheek, not because it hurt, but because he was still a little amazed. Henry said, "For a colored man winnin' is stayin' alive to live out the time God give you."

"But how you spend what time you got, Papa, that ain't up to God. I'm gonna be the Heavyweight Champion of the World some day. You'll see."

"There ain't never gonna be no colored champion of the world, 'Lil' Arthur. And there ain't no talkin' to you. You a fool. I'm gonna be cuttin' you down from a tree some morning, your neck all stretched out. Help me up. I'm goin' to bed."

'Lil' Arthur helped his father up, and the old

man, balanced on his cane, dragged himself inside the shack.

A moment later, 'Lil' Arthur's mother, Tina, came out. She was a broad faced woman, short and stocky, nearly twenty years younger than her husband.

"You don't need talk yo papa that way," she said.

"He don't do nothin', and he don't want me to do nothin'," 'Lil' Arthur said.

"He know what he been through, Arthur. He born a slave. He made to fight for white mens like he was some kinda fightin' rooster, and he got his leg paralyzed cause he had to fight for them Rebels in the war. You think on that. He in one hell of a fix. Him a colored man out there shootin' at Yankees, cause if he don't, they gonna shoot him, and them Rebels gonna shoot him he don't fight the Yankees."

"I ain't all that fond of Yankees myself. They ain't likin' niggers anymore than anyone else."

"That's true. But, yo papa, he right about one thing. You ain't lived enough to know nothin' about nothin'. You want to be a white man so bad it hurt you. You is African, boy. You is born of slaves come from slaves come from Africa."

"You sayin' what he's sayin'?"

"Naw, I ain't. I'm sayin', you whup this fella, and you whup him good. Remember when them bullies used to chase you home, and I tell you, you come back without fightin', I'm gonna whup you harder than them?"

"Yes ma'am."

"And you got so you whupped 'em good, just so I wouldn't whup yo ass?"

"Yes ma'am."

"Well, these here white men hire out this man against you, threaten you, they're bullies. You go in there and you whup this fella, and you use what God give you in them hands, and you make your way. But you remember, you ain't gonna have nothin' easy. Only way a white man gonna respect you is you knock him down, you hear? And you can knock him down in that ring better than out here, cause then you just a bad nigger they gonna hang. But you don't talk to your papa that way. He better than most. He got him a steady job, and he hold this family together."

"He's a janitor."

"That's more than you is."

"And you hold this family together."

"It a two person job, son."

"Yes ma'am."

"Goodnight, son."

'Lil' Arthur hugged her, kissed her cheek, and she went inside. He followed, but the smallness of the two-room house, all those bodies on pallets— his parents, three sisters, two brothers, and a brother-in-law, made him feel crowded. And the pigeons sickened him. Always the pigeons. They had found a hole in the roof—the one that had been covered with tarpaper—and now they were roosting inside on the rafters. Tomorrow, half the house would be covered in bird shit. He needed to get up there and put some fresh tarpaper on the roof. He kept meaning to. His papa couldn't do it, and he spent his own time training. He had to do more for the family besides bring in a few dollars from fighting.

'Lil' Arthur got the stick they kept by the door for just such an occasion, used it to roust the pigeons by poking at them. In the long run, it wouldn't matter. They would fly as high as the roof, then gradually creep back down to roost. But the explosion of bird wings, their rise to the sky through the hole in the roof, lifted his spirits.

His brother-in-law, Clement, rose up on an elbow from his pallet, and his wife, 'Lil' Arthur's sister, Lucy, stirred, rolled over, stretched her arm across Clement's chest, but didn't wake up.

"What you doin', Arthur?" Clement whispered. "You don't know a man's got to sleep? I got work to do 'morrow. Ain't all of us sleep all day."

"Sleep then. And stay out of my sister. Lucy don't need no kids now. We got a house full of folks."

"She my wife. We supposed to do that. And multiply."

"Then get your own place and multiply. We tight as rats here."

"You crazy, Arthur."

Arthur cocked the pigeon stick. "Lay down and shut up."

Clement laid down, and Arthur put the stick back and gathered up his pallet and went outside. He inspected the pallet for bird shit, found none, stretched out on the porch and tried to sleep. He thought about getting his guitar, going back to the beach to strum it, but he was too tired for that. Too tired to do anything, too awake to sleep.

His mother had told him time and again, when he was a baby, an old Negro lady with the second sight had picked up his little hand and said, "This child gonna eat his bread in many countries."

It was something that had always sustained him. But now, he began to wonder. Except for trying to leave Galveston by train once, falling asleep in the boxcar, only to discover he had been making circles in the train yard all night as supplies were unloaded, he'd had no adventures, and was still eating his bread, mostly corn bread, in Galveston, when he could get it.

For a while he dreamed of distant lands, fighting great fights, being famous, his picture in the papers, his name on the lips of millions worldwide.

But the dreams didn't keep. He came awake, and for the rest of the night he fought mosquitoes, the heat, and his own ambition. By morning he was exhausted.

Out there, made up of the winds of the world, the waters of the world, It churned and churned counterclockwise, Its diameter expanded. Inside its center the sea leaped, and outside Its center Its winds knocked the tops off waves and transformed them into blasts of creamy spray...

And as It churned, It gained strength...

## WEDNESDAY, SEPTEMBER 5, 1900
### 10:20 a.m.

*Telegram from WASHINGTON, D.C. Weather Bureau to Isaac Cline, GALVESTON, TEXAS Weather Bureau:*

## TELEGRAM

Disturbance central near Key West moving northwest. Vessels bound for Florida and Cuban ports should exercise caution as the storm is likely to become dangerous.

## 10:21 a.m.

McBride awoke, fucked the redhead, sat up in bed, cracked his knuckles, said, "I'm going to eat and train, Red. You have your ass here when I get back, and put it on The Sportin' Club's bill. And wash your cunt, for heaven's sake."

"Yes sir, Mr. McBride," she said.

"Damn thing smells like a fish sandwich left out overnight. Hear me?"

"Yes sir, Mr. McBride."

"I want it clean enough I could spread it with butter and eat it. Got me?"

"Yes sir, Mr. McBride."

McBride got up, poured water into a wash basin, washed his dick, under his arms, splashed water on his face. Then he sat at the dresser in front of the mirror and spent twenty minutes putting on the Chinaman's remedy and combing his hair. As soon as he had it just right, he put on a cap.

He dressed in khakis, a short sleeve shirt and soft shoes, wrapped his knuckles with gauze, put a little notebook and pencil in his back pocket, then pulled on leather gloves. When the redhead wasn't looking, he wrapped his revolver and razor in a wash rag, stuffed them between his shirt and his stomach.

Downstairs, making sure no one was about, he removed the rag containing his revolver and razor, stuck them into the drooping greenness of a potted plant, then went away.

He strolled down the street to a café and ordered steak and eggs and lots of coffee. He ate with his gloves and hat on. He paid for the meal, but got a receipt.

Comfortably full, he went out to train.

⟞⟞⟝⟝

He began at the docks. There were a number of men hard at work, and had been for a couple of hours. They were loading bags of cottonseed onto a ship. He strolled over there, stood with his hands behind his back, and watched. The scent of the ocean was strong. The water lapped at the pilings enthusiastically and the air was as heavy as a wet tow sack.

After a while, he walked over to a large, bald, red-faced man with a head like a rock and arms and legs like plantation columns. The man wore faded overalls without a shirt, and his chest was as hairy as a bear's ass. He had on heavy work boots with the sides burst out. McBride could see his bare feet though the openings. McBride hated a man that didn't keep up his appearance, even when he was working. Pride was like a dog. You didn't feed it regularly, it died.

McBride said, "What's your name?"

The man, a bag of cottonseed under each arm, stopped and looked at him, taken aback. "Ketchum," he said. "Warner Ketchum."

"Yeah," McBride said. "Thought so. So, you're the one."

The man glared at him. "One what?"

The other men stopped working, turned to look.

"I just wanted to see you," McBride said. "Yeah, you fit the description. I just never thought there was a white man would stoop to such a thing. Fact is, hard to imagine any man stooping to such a thing."

"What are you talkin' about, fella?"

McBride looked out at the water, as if disgusted to consider what he was considering. When he turned back to Ketchum he lowered his brows and said distinctly:

"Well, word is, Warner Ketchum that works at the dock has been known to suck a little nigger dick in his time."

Warner dropped the bags. "Who the hell are you? Where'd you hear that?"

McBride put his gloved hands behind his back and held them. "They say, on a good night, you can do more with a nigger's dick than a cat can with a ball of twine."

The man was fuming. "You got me mixed up with somebody else, you Yankee-talkin' sonofabitch."

"Naw, I ain't got you mixed up. Your name's Warner Ketchum. You look the way was described to me by the nigger whose stick you slicked."

Warner stepped forward with his right foot and swung a right punch so looped it looked like a sickle blade. McBride ducked it without removing his hands from behind his back, slipped inside and twisted his hips as he brought a right uppercut into Warner's midsection.

Warner's air exploded and he wobbled back, and McBride was in again, a left hook to the ribs, a straight right to the solar plexus. Warner doubled and went to his knees.

McBride leaned over and kissed him on the ear, said, "Tell me. Them nigger dicks taste like licorice?"

Warner came up then, and he was wild. He threw a right, then a left. McBride bobbed beneath them. Warner kicked at him. McBride turned sideways, let the kick go by, unloaded a left hand that caught Warner on the jaw, followed it with a right that struck with a sound like the impact of an artillery shell.

Warner dropped to one knee. McBride grabbed him by the head and swung his knee into Warner's face, busting his nose all over the dock. Warner fell face forward, caught himself on his hands, pushed to his feet.

McBride let him. But there wasn't much left of Warner after that. A few wild punches that McBride ducked and dodged without effort. Finally, bored with what he was getting from

Warner, McBride floored him, not using his best punch, just something solid enough to take Warner out of the game.

Warner fell, almost got up again. Then, slowly collapsed, laid down and didn't move.

McBride looked at the men who were watching him. He said, "He didn't suck no nigger dicks. I made that up." He got out his pad and pencil and wrote: Owed me. Price of one sparring partner, FIVE DOLLARS.

He put the pad and pencil away. Got five dollars out of his wallet, folded it, put it in the man's back pocket. He turned to the other men who stood staring at him as if he were one of Jesus's miracles.

"Frankly, I think you're all a bunch of sorry assholes, and I think, one at a time, I can lick every goddamn one of you southern white trash pieces of shit. Any takers?"

"Not likely," said a stocky man at the front of the crowd. "You're a ringer." He picked up a sack of cottonseed he had put down, started towards the ship. The other men did the same.

McBride said, "Okay," and walked away.

He thought, maybe, on down the docks he might find another sparring partner.

## 11:45 a.m.

Forrest knew from the way Beems had been looking at him, later that day he would stand for a chastising. Beems would not do it here at the hotel, where they were having lunch, not here among all the big shots Beems coveted, but it would start here, with a word or two, and then, on the street a little more, then in private quarters it would heat up to a spectacular level.

It was the way Beems worked. Something went wrong, he liked to brood on it for a time, sometimes as much as a week, before he responded.

But this, him having failed Beems with McBride, not being willing to come forward to handle the fighter, and with the others having seen it happen, and him not being able to convince the nigger to dodge out, punishment would come more swiftly. It wouldn't be terrible. No. Beems wouldn't want to push it too far. He would have a hard time finding someone to take his place, someone to put up with the verbiage and the abuse.

No. It would be the usual sort of thing. Ending the way it always did. In humiliation.

Forrest had learned the signs. Beems would mix it around in his head for a while, being thoughtful and quiet much of the time, then he would begin to rationalize whatever position he wished to take, then slowly he would lift his eyes to the ceiling, and Forrest knew then a plan was coming together. When finally it did come together, Beems would no longer look thoughtful, nor would he let his eyes float to the ceiling.

It was then the vehemence started. Words mostly. Getting physical wasn't what Beems did well. He would let loose with the words, a few, probing at first, then stronger. If he feared the words might cause him injury from the attacked party, then he passed on words and set loose a plan, as if releasing hungry hunting dogs.

It was like this whole thing with the nigger. It was all carefully orchestrated. A complex plan. Sometimes Beems's plans were much simpler, but this one, there was a lot going on. Beems had to balance McBride, the nigger, the Sporting Club, pay off a few key figures around town so the fight wouldn't be raided and shut down.

Forrest considered all these things, but at the bottom of it all he was thinking about himself, knew what was in store. Something Beems enjoyed. A few hours of, sometimes a few days of, snide belittlement, and then, well...the worst part.

Forrest could never figure that part of it. It was the way Beems always ended any confrontation with him. He ended confrontations with others with him as well. He had what he wanted done, done to them, then, it was back to good ole Forrest.

Beems had to have his boy to take it out on, joys and frustrations, and Forrest knew, for better or worse, he was Beems's boy. No matter who was responsible for Beems's irritations, who failed, it always ended one way. With him and Beems.

Was Beems punishing himself as well?

Was it punishment at all?

He seemed to enjoy it, and he seemed to hate it at the same time.

Forrest hated the sonofabitch, hated doing his bidding, but it beat working at the docks. That was where Beems had found him, at the docks, breaking his back for little to nothing.

This way, he ate a little shit, there were side benefits.

Afterwards, Beems, contrite, always lavished him with money and presents.

In the long run, there were worse ways to be abused, and in a way, wasn't he doing the abusing himself?

That was the problem with the whole damn thing.

It was confusing.

He couldn't figure who was in control or if anyone was.

Well, Beems had the money, so he made the call.

⌐⊙⌐

Beems ate a bite of steak, sipped wine, turned, stared directly at Forrest, and smiled.

Forrest thought:

All I have to do is say no.

All I have to do is walk out.

Or better yet, just knock this prissy sono-fabitch into next week, wipe that goddamn shit eating smile off his smug face in a rain of flesh and teeth.

Damn, that would feel good.

But good Lord, the money is better.

Hell, nothing in life can be all roses. There have to be some thorns. Even a good steak sometimes has bad spots.

It didn't really mean anything in the long run. Not really.

"You know how you've failed me?" Beems said.

"Yes, sir."

"You know how it has to be, don't you?"

"Yes, sir," Forrest said. "I know."

"You sonofabitch."

"Yes, sir."

"You filthy coward."

"Yes, sir."

"You saw what he did to me?"

"Yes, sir."

"You should be ashamed."

"Yes, sir. I am. Very."

"Very...Very...I...What do I pay you for?"

"Whatever you need."

"And I needed you to step in and help me with McBride."

"Yes sir. All due respect, but the nigger beat me, and you brought him in to beat the nigger. I couldn't have stopped him. He would have just given me a beating."

"You should have taken a beating. That's what I pay you for. Whatever I need, and that includes, if necessary, a beating."

"I understand, sir."

Beems took a deep breath, realizing his voice was rising. He sat for a moment, carefully cut a piece of steak, stuck it in his mouth and chewed. He turned and looked about, watched as a town dignitary and his wife sat down at a table nearby.

Beems took another deep breath, then a sip of wine.

"What you were doing, I suspect, was while McBride was humiliating me, you were probably staring at that woman. Am I right?"

"No sir."

"You were staring at the woman."

"No sir, I wasn't."

"Forrest."

"Yes sir, I was staring at the woman."

"Very well, then."

Beems turned back to his dinner, and was silent the rest of the time.

## 4:45 p.m.

By the end of the day, near dark, McBride checked his note pad for expenses, saw the Sporting Club owed him forty-five dollars in sparring partners, and a new pair of gloves, as well as breakfast and dinner to come. He added money for a shoe shine. A clumsy sonofabitch had stepped on one of his shoes.

He got the shoe shine and ate a steak, flexed his muscles as he arrived at the whorehouse. He felt loose still, like he could take on another two or three yokels.

He went inside, got his goods out of the potted plant, and climbed the stairs.

He hoped the redhead had washed herself.

## 12:00 a.m.

In this spot the sand had been wind-and-erosion carved into a trough and in the trough they lay. For the past month it had been their spot. It was far enough from the beach that it seldom washed, and swimmers didn't like it here because there was considerable sewage wash.

Beneath the sand of the trough was a core of clay left over from the building of the Beach Hotel, and the clay and the sand formed a kind of loose cement; most likely the clay had fallen from a wagon transporting it to the beach to pack the underpinnings of the structure. Whatever its source, the trough had so far held itself intact against rain and wind.

From inside the trough you could hear the gulf waves crash and each time they did a faint mist of salt spray would alight on them and it felt good on their nude bodies.

"Don't put it in," the young woman said, "just rub it on my leg."

"That doesn't do anything," said her young beau.

"It does more for you than me."

"Ssssshhhh, women aren't supposed to talk that way."

"You think I won't feel anything when we really do it?"

"I didn't say that. I said you're not supposed to talk that way. It isn't dignified."

"And this is. Us buck naked and you with...it on my leg."

"I love you, Jane."

"Considering the moment, I can't be sure."

"I promise you."

"I think, right now, a man might promise anything."

Jared thought to himself: That's possible. He rolled over on the beach towel and looked up at the sky. It seemed odd. The stars were visible, but they had the look of being behind a window glass filmed by the fingers of a sick kid with snot.

"It might storm," he said.

"Now you're not interested?" she said.

"I'm not interested in rubbing on your leg."

"Rub it on my leg it'll come out."

"We've been there before."

"But it does come out."

"On your leg."

"Until we're married, that's not so bad, is it?"

"I'm tired of that. I want to do what a man and a woman are supposed to do."

"They're supposed to do that when they get married."

"Yeah," Jared said. "Guess you're right."

He could tell he was onto something here. Not wanting her was working to his advantage. He sensed a change in her. He had been going about this all wrong.

Jared lay still for another moment, feigning boredom. The breezed picked up and felt cool against his skin, which was coated with gulf spray. He stood, shook his pecker, climbed out of the trough of sand and walked down to the Gulf, thinking of taking a swim.

From where he stood, in the distance, he could see the Beach Hotel. It still shone with gas lights. He could see shapes down there, out front. Even this late there was action. He thought about playing cards in the hotel, taking Jane to a room there. But that wouldn't happen. Everyone knew her and her family in Galveston. He was an outsider. He had come here on vacation and spotted her on the beach. Her beautiful red hair and pale skin clothed in a fluffy bathing suit that looked like a clown's pajamas. He had wanted her right then. He had watched her as she splashed in the water momentarily, then disappeared to change and be escorted home by buggy.

He figured she had spent all of fifteen minutes in the sun, lest she redden her lily white skin. Which, of course, he did not want to see redden. Unless it was a blush under his touch.

The next day, after a game of cards, he saw her again. It was obvious that she and the women she was with were actually there to show their wares. Most of it shown under huge shady beach umbrellas, the occasional run to the water for a dip, not a swim.

He set to work, meeting her by "chance" on the beach, asking her to ride with him about town on rented bicycles. He knew that she would see this as slightly scandalous, and it would appeal to her. And so, wearing her long dark sporting dress and a wide straw hat with a veil to protect her fresh white skin from the sun, they had gone on long rides, stopping to picnic at the beach, and within a week she loved him. Thinking of herself as modern, she fell into petting quickly, but she still wasn't willing to go the whole hog. He was almost out of lies. It didn't usually take this long.

With the towel wrapped around her, Jane climbed out of the trough and came to him.

"I'm afraid my mother will check on me," she said.

"She sleeps like a log. You tell me that all the time."

"I know, but she could still wake up. She checks and finds me gone...Well, it could be bad. If you want to, you know, make yourself feel better, we should do it now. I have to go back."

"You mean on your leg?"

"We can marry soon as you have that job at the gin."

"I suppose." Jared tried to look disinterested. He stared at the gulf. And noticed the waves were awfully high.

"The sky and the sea are funny," he said. "I think we're gonna have a big blow."

"We've had them before. The island can take anything the sea throws at us."

"I suppose," he said. "Well, it's getting late. You want to go home?"

Jane removed the towel from her shoulders, stretched it on the beach. As she bent to do this, Jared cast a quick eye in her direction, got a look beneath the moon, at the squirrel in the branches. "Jesus," he said without meaning to.

Jane lay down on the towel and spread her legs and smiled. Beneath the snot-smeared stars the mound between her legs was dark as dried blood.

She wiggled her body slightly. "You sure you won't try and feel a little better before we go."

Even if he wanted to lie, his flagstaff showed he thought he might like something as opposed to nothing.

He crawled on top of her. At first he rubbed against her leg, then he got in the middle of her and she didn't fight and pretty soon he was in.

When he finished, they dressed quietly. Jane cried a little as he took her home in his buggy.

A block from her house, a beautiful home of plantation columns and winding ivy, he let her out and walked her to her window, kissed her, promised undying love, then, snuffling slightly, she climbed up the trellis and went inside through the open window.

She stuck her head out and blew him a kiss.

He waved back at her, and she ducked inside.

It's done, he thought.

Jared turned the buggy toward the bridge that connected with the mainland, and went out of there, not having to worry anymore about getting married or working at some goddamn cotton gin, which, in fact, he never planned to do anyway.

He had devoted a month to Jane, and that was longer than usual, but now his mission in Galveston was accomplished.

And she had been worth it.

Once he had got inside her, she had been like a tiger.

As he drove over the bridge towards mainland Texas, making new plans, the waves lapped at the wooden pilings like excited tongues.

# THURSDAY, SEPTEMBER 6, 1900
## 6:00 p.m.

*Telegram from WASHINGTON, D.C. Weather Bureau to Isaac Cline, GALVESTON, TEXAS Weather Bureau:*

## TELEGRAM

Storm center just Northwest of Key West.

# 7:30 p.m.

'Lil' Arthur ran down to the Sporting Club that night and stood in front of it, his hands in his pants pockets. The wind was brisk, and the air was just plain sour, like milk that had dried on a rag. The Sporting Club was a huge building with many windows and great columns that held up a vast expanse of second floor, and all around grew manicured trees, and beyond the trees was a wrought iron fence where each spike of the fence was tipped like a spear head; beyond that there were more scattered trees, then the street and a staggering of glowing gas street lights.

There were no lights on in the building, and the tall windows that ringed the first and second floor were like a row of rectangular mouths, dark and foreboding, hungry, picking up occasional flickers of light from the gas lamps.

Unless he was fighting, unless he was invited and went in the back door at a prescribed time, he could not walk inside The Sporting Club. No niggers were to pass through the same door as the lily whites.

'Lil' Arthur closed his eyes and opened them slowly and imagined himself walking through the gate that led up to the club; walking through it and then the door, all dressed out in fine clothes with a bowler hat, and just to make it more amusing, a colored woman on one arm, a white woman on the other. Maybe, just to make things better, he could have one black hand on the white woman's ass as he went through the door.

Hell, why not a finger up her ass?

'Lil' Arthur had heard his ancestors had been sold by their own people into slavery and that they were friends to the white slavers who bought his people.

It was rumored that one of his distant ancestors had been born in a grave in Mississippi. A pregnant colored woman named Ida had died after a field accident, had been dumped in a ditch near the corn field about dusk and covered.

A little later that night a muffled cry was heard, like a young panther screaming.

Somehow, that woman, in death, a rigor spasm perhaps, or maybe she had been barely alive when buried, had given birth to a child and that child was alive and screaming to be noticed.

When Massa sent slaves to see what the wailing was about, they dug up a child, attached by his umbilical cord to his dead mother. They pulled the child out, a boy, a huge boy, cleaned him up, and he lived and was named Hercules by the plantation owner. He was Massa's boxer, and he beat all comers. All blacks, that was. No white man would fight him.

'Lil' Arthur believed he was the descendent of that boy who became a man named Hercules, famous for his strength and his ability to work any man down. He didn't know it for a fact, but it was the family story and one he wanted to believe.

But Hercules—born of a woman determined even in death to finish bringing him into the world—in spite of his strength, in spite of his pride, never walked through the front door of a white man's building or fought a white man.

'Lil' Arthur was going to be the first of his ancestral line to do that, and this fight, he felt it in his bones, was his ticket of admission through that door, and others.

By God, thought 'Lil' Arthur. I'm gonna change the world.

Yes sir, Saturday, he was going to fight a heavyweight crown contender, and though it would not be listed as an official fight, and McBride was just in it to pick up some money, he was glad to have the chance to fight a man who might fight for the championship some day.

If he could beat him, even if it didn't affect McBride's record, 'Lil' Arthur knew he'd have that; he would have beaten a contender for the Heavyweight Championship of the world.

It was a real beginning and a far cry from The Battle Royales he had first participated in. There was a time when he looked upon those degrading events with favor.

He remembered his first Battle Royale. His friend Ernest had talked him into it. Once a month, sometimes more often, white "sporting men" liked to get a bunch of colored boys and men to come down to the club for a free-for-all. Would put nine or ten of them in a ring, sometimes make them strip naked and wear Sambo masks. He'd done that once himself.

While the coloreds fought, the whites would toss money and yell for them to "kill one another." Sometimes they'd tie two coloreds together by the ankles, let them go at it. Once, 'Lil' Arthur saw a fight between two one legged colored boys, hopping about the ring and clubbing each other. Blood flowed thick as molasses on flapjacks. Bones were broken. Muscles torn.

For the whites, it was great fun, watching a couple of coons knock each other about. For them, it was one step below a dog fight. Whites had some feelings for their dogs.

'Lil' Arthur found he was good at fighting, and even knocked his friend Ernest out, effectively ending their friendship. He couldn't help himself. He got in there, got the battling blood up, he would hit whoever came near him.

He started boxing regularly, gained some skill. No more Battle Royales. He got a reputation with the colored boxers, and in time that spread to the whites.

The Sporting Club, out of white contenders for their champion, Forrest Thomas, thought they would put together a novelty match. If it was fun watching two coons hit each other, wouldn't be more fun to have a trained boxer, a white man, slap a coon about. It would show the superiority of the white race, proved in a match of skill and timing.

They gave 'Lil' Arthur twenty-five dollars to mix it up with their man. They even promised him the club's championship title if he defeated Forrest Thomas.

Right before the fight, 'Lil' Arthur said his prayers, then considering he was going to be fighting in front of a bunch of angry, mean-spirited whites, and for the first time, white women—sporting women, but women—who wanted to see a black man knocked to jelly, he took gauze and wrapped his dick. He wrapped it so that it was as thick as a blackjack. He figured he'd give them white folks something to look at. The thing they feared the most. A black as coal stud nigger.

A bad nigger.

Meaner than they were.

And hung better, too.

And when the big event rolled around, he whupped Forrest Thomas like he was a red-headed stepchild; whupped him so bad, they stopped the fight so no one would see a colored man knock a white man out.

Against their wishes, the Sporting Club was forced to hand the championship over to 'Lil' Arthur Johnson, and the fact that a colored now held the club's precious boxing crown was like a chicken bone in the club's throat. Primarily Beems's throat, the current president.

Enter McBride.

Beems, on the side, talked a couple of the Sporting Club's wealthier members into financing a fight. One where a true contender to the heavyweight crown would whip 'Lil' Arthur and return the local championship to a white man, even if that white man relinquished the crown when he returned to Chicago, leaving it vacant. In that case, 'Lil' Arthur was certain he'd never get another shot at the Sporting Club Championship. They wanted him out, by hook or crook. The idea of a nigger with their championship was revolting.

'Lil' Arthur had never seen McBride. Didn't know how he fought. He'd just heard he was as tough as stone and had balls like a brass monkey. He liked to think he was same way, and he loved his championship, even if it was just a small local one.

It was a true badge of pride, and if you came from the Flats, you didn't have a chance to have much pride. And now he had a chance. He was even somebody in the Flats. His own people took notice, and the whites took notice, too, by hating him. He could see it in their eyes.

That alone made 'Lil' Arthur determined not to give his local title up. It was the only thing that made him something more than just another nigger from the Flats.

He'd fight anyone they put in front of him to keep it.

He'd fight the devil himself.

## 9:00 p.m.

The redhead, nursing a fat lip, two black eyes and a bruise on her belly, rolled over gingerly, and put her arm across McBride's hairy chest. "You had enough?"

"I'll say when I've had enough."

"I was just thinking I might go downstairs and get something to eat. Come back in a few minutes."

"You had time to eat before I got back."

"I know, but I wasn't hungry then."

"You didn't eat, you just messed up. I'm paying for this. Or rather the Sportin' Club is.

"An engine's got to have coal, if you want that engine to go."

"Yeah?"

"Yeah. I could bring you back something."

"Already ate."

"Wouldn't take me a moment, hon. Promise."

The redhead reached up and ran her fingers through McBride's hair.

McBride reached across his chest and slapped the redhead on top of the head. "Don't touch my hair. Stay out of my hair. And shut up. I don't care you want to fuck or not. I want to fuck, we fuck. Got it?"

"Yes, sir."

"Listen here, I'm gonna take a shit. I get back, I want you to wash that goddamn nasty pussy of yours. You think I like stickin' my dick in that, it not being clean? You got to get clean, bitch. In case you didn't know, that damn thing is supposed to be pink. I'm not going to tell you again."

"It's so hot. I sweat. And you're just gonna mess me up again."

"I don't care. You wash that thing. Don't just splash water on it. Use a rag. Some soap. And when you finish, throw the rag and soap away. I went around with my dick like that, it'd fall off. I get a disease, girl, I'll come back here, kick your ass so hard, your butt hole will swap places with your cunt."

"I ain't got no disease, Mr. McBride."

"Good."

McBride got up and went to the john. He took his revolver and his wallet and his razor with him. He didn't trust a whore—any woman for that matter—far as he could hurl one.

While he was in the can trying out the new flush toilet, the redhead eased out of bed wearing only a sheet. She slipped out the door, went downstairs and outside, into the streets. She flagged down a man in a buggy, talked him into a ride, for a ride, then she was out of there, destination unimportant.

Later, angered at the redhead, McBride used the madam herself, blacked both her eyes when she suggested that a lot of sex before a fight might not be a good idea for an athlete. He made her do some things to herself with a hair brush and a fat cigar.

The madam, lying in bed with McBride's muscular arm across her ample breasts, sighed and watched the glow of the gas street lights play on the ceiling. She listened to the wind rattle the window glass and knock tree limbs against the side of the house.

Turning her head, she saw leaves blow by the window in a swirl. They were reddened by the outside lights and they looked like rips of flesh flying by.

The Madam sighed, closed her eyes.

Well, she thought, it's a living.

In the Gulf, a great wall of wind and water surged toward Galveston. Before It, It pushed It's emissaries, the waves, and the waves crashed against the land that was Galveston, and Jane and Jared's trough of sand and clay was filled with sick smelling sea water and the bodies of fish.

# FRIDAY, SEPTEMBER 7, 1900
## 10:35 a.m.

.

*Telegram from WASHINGTON, D.C. Weather Bureau to Isaac Cline, GALVESTON, TEXAS Weather Bureau:*

---

**TELEGRAM**

Storm warning. Galveston,
Texas. Take precautions.

## 10:35 a.m.

Isaac Cline, head of the Galveston Weather Bureau, sat at his desk on the third floor of the Levy building, and read the telegram. He went downstairs, and outside for a looksee.

The weather was certainly in a stormy mood, but it didn't look like serious hurricane weather. He had been with the Weather Bureau for eight years, and he thought he ought to know a hurricane by now, and this wasn't it.

The sky wasn't the right color.

He walked until he got to the beach. By the time he arrived, the wind was picking up and the sea was swelling. The clouds were like wads of duck down ripped from a pillow.

He walked a little farther down the beach, found a turtle wrapped in seaweed, poked it with a stick. It was dead as a stone.

He tossed the stick into the Gulf waters and spent some time looking out to sea.

What bothered him was, though the sky did not look like a hurricane sky, all day the barometer had been falling, and the tide was rising, against a terrific wind out of the north.

It didn't add up. Under usual circumstances wind from the north meant low tide. Only a storm tide, a terrific storm tide, could work this hard against a wind that Isaac estimated to be near fifteen miles an hour.

And even if that was the case, it still didn't look like true hurricane weather.

Isaac returned to the Levy Building, and by the time he made his way back, the wind had picked up considerably. He climbed the stairs to the roof, the bluster charging at his back.

The roof barometer was dropping quickly, and the wind, within seconds, had grown even more serious. He revised his opinion on how much he knew about storms. He estimated the wind to be blowing at twenty miles an hour, and growing.

No matter how things look, the rest was obvious. There was a storm tide and a terrific wind, and in time, the sky would color and the storm would come ashore.

Cline pushed against the wind, made his way across the roof to the weather pole, hoisted two flags.

The top flag was actually a white pennant. It whipped in the wind like a gossip's tongue; anyone who saw it knew it meant the wind was coming from the northwest.

Beneath it, he hoisted a red flag with a black center; it meant the wind was coming ass over tea kettle, and that a seriously violent storm was expected within hours.

Cline took a deep breath. The air smelled dank and fishy. For a moment, Cline thought perhaps he had actually touched the dead turtle and brought its stink back with him. But no, it was the wind.

## 10:36 a.m.

Captain Simmons, commander of the steamship Pensacola, left the port of Galveston from Pier 34, destination Pensacola, Florida.

Simmons had read the hurricane reports of the day before, and though the wind was picking up and was oddly steamy, the sky failed to show that which he was watching for: a dusty, brick-red color, a sure sign of a hurricane.

He felt the whole weather bureau business was about as much guess and luck as it was anything else. He figured he could do that, and be as accurate.

He gave orders to ease the Pensacola into the Gulf.

## 1:06 p.m.

Jane sat at her window and looked down at the street. Books were piled on either side of her chair. She loved to read and had always found solace in the pages of her books. Something went wrong with her life, just a little wrong, she relied on the books. She could lose herself in them, gain solace.

From among them she plucked *The Love Letters of Robert Browning and Elizabeth Barrett Browning* and turned the page to a particular favorite and began to read.

She lifted her head and looked out the window. She wouldn't want to miss him. If she started reading, got too engrossed, she might miss him.

It would serve him right if she did. Being late like this. She was going to bawl him out tonight. In fact, when he did come by, she might not wave at all. Just look at him, so he'd know she saw him, then she'd turn to her books as if he were no more significant than an insect.

She turned back to the book, and...today, for the first time, the words read hollow, seemed silly.

Romance was no longer a warm joy, it was a pain in the chest.

She lowered the book and looked out the window, down at the street. Jared usually came by at lunch and waved to her. He had made a point of it every day. She was not supposed to meet him in public without a chaperon. That wasn't the way a true lady was supposed to act. But this way, between twelve noon and twelve thirty, he could wave at her and she could wave back, and it would only be thought a little risque, and that's how she thought of herself. A little risque.

She thought of the other night.

That had been more than a little risque. That had been the real thing.

She looked down at the book in her hand, closed it, and set it aside. She picked up another, but she merely placed it in her lap.

All right, she told herself. When he comes, I will wave at him, but I'll make it short. I won't look happy. I'll leave him with something to consider.

Time continued to poke along, and Jared did not show.

All right, she told herself, be honest. He isn't coming.

He is not only not coming today, he had not come by yesterday at all. No wave at noon, and he had not met her last night.

She had climbed down to meet him, and he had not been there. There were only shadows and blowing wind that whipped the tree limbs and ruffled and dropped the dry leaves.

When she climbed back to her room, she sat at the window for an hour or more before falling asleep in her chair. She dreamed of him inside her, and when she awakened he was still on her mind and she counted the minutes until this time, their time, their simple little wave to each other.

And he hadn't shown.

She considered all the options. He was busy at lunch yesterday, couldn't get loose.

Last night. A card game maybe. Time got away from him.

There will be a reason. It may not be a good reason, but there will be a reason. A man reason. Not as thoughtful as it should be, but there will be a reason.

Surely.

She glanced at her dresser clock.

Twelve forty-five.

The clock ticked very loud, made a sound like someone clicking their tongue in disgust.

She looked outside one more time. And saw him. He was coming down the street. He was merely late. Everything was all right.

She took a deep breath, went to the window. She tried to put just the right look on her face. Not too mad, but not overly happy either.

And then she saw it wasn't Jared at all. It was another man. An older man with a coat and hat similar to Jared's.

"Why buy the cow when you can get the milk for free," that's what her mother had always told her.

But she hadn't listened. She thought she knew it all. But what she knew now, in that dark moment, the clock thundering in her empty room, was that she would never see him again.

She had given of herself and he had taken, and he was gone.

## 1:07 p.m.

Pigeons fluttered through the opening in the Johnson's roof. Tarpaper lifted, tore, blew away, tumbled through the sky as if they were little black pieces of the structure's soul.

"It's them birds again," his mother said.

'Lil' Arthur stopped doing pushups, looked to the ceiling. Pigeons were thick on the rafters. So was pigeon shit. The sky was very visible through the roof. And very black. It looked venomous.

"Shit," 'Lil' Arthur said.

"It's okay," she said. "Leave 'em be. They scared. So am I. And don't talk like that."

'Lil' Arthur stood up, said, "Ain't nothin' be scared of. We been through all kinda storms. We're on a rise here. Water don't never get this high."

"We on a rise in the Flats, boy. That means our rise ain't so much a rise. That's why they call this place the Flats. It's flat. You got a rise, and you already flat, well you rise isn't the same as a rise somewhere where it ain't flat."

"I know, mama."

"You walk down that a way a piece, you'll see that water is already more up than it's supposed to be. It make me jittery, 'Lil' Arthur. I ain't never liked no storm. I be glad when yo daddy and the young'ns get home."

"Papa's got an old tarp I might can put over that hole. Keep out the rain."

"You think you can, go on."

"I already should'a," 'Lil' Arthur said.

'Lil' Arthur went outside, crawled under the upraised porch and got hold of the old tarp. It was pretty rotten, but it might serve his purpose, at least temporarily. He dragged it into the yard, crawled back under, tugged out the rotting ladder and a rusty hammer. He was about to go inside and get the nails when he heard a kind of odd roaring.

He stopped, listened, recognized it.

It was the surf. He had certainly heard it before, but not this loud and this far from the ocean.

He got the nails and put the ladder against the side of the house and carried the tarp onto the roof. The tarp nearly took to the air when he spread it, almost carried him with it.

He fought it down and tried to hold it in place by spreading his arms. With considerable effort he got it nailed over the hole, trapping what pigeons didn't flee inside the house.

He went down and chased the pigeons inside out of the house with a broom.

Above him, he heard the rotten tarp ripping.

## 2:30 p.m.

Inside the whorehouse, the madam, a fat lip added to her black eyes, watched from the bed as McBride, naked, seated in a chair before the dresser mirror, carefully combed and oiled his hair over his bald spot. The windows were closed, and the wind rattled them like dice in a gambler's fist. The air was as stuffy as a minister's wife.

"What's that smell?" she asked.

It was the stuff the Chinaman had given him. He said, "You don't want your tits pinched, shut the hell up."

"All right," she said.

The windows rattled again. Pops of rain flecked the glass.

McBride went to the window, his limp dick resting on the window sill, almost touching the glass, like a large, wrinkled grub looking for a way out.

"Storm coming," he said.

The madam thought: No shit.

McBride opened the window. The wind blew a comb and hairbrush off the dresser. A man, walking along the sandy street, one hand on his hat to save it from the blow, glanced up at McBride. McBride took hold of his dick and wagged it at him. The man turned his head and picked up his pace.

McBride said, "Spread those fat legs, honey-ass, cause I'm sailing into port, and I'm ready to drop anchor."

Sighing, the madam rolled onto her back, and McBride mounted her. "Don't mess up my hair this time," he said.

## 4:30 p.m.

The study reeked of stale cigar smoke and sweat, and faintly of baby oil. The grandfather clock chimed four-thirty. The air was humid and sticky as it shoved through the open windows and fluttered the dark curtains.

The sunlight, which was tinted with a green cloud haze, flashed in and out, giving brightness to the false eyes and the yellowed teeth of a dozen mounted animal heads on the walls. Bears. Boars. Deer. Even a wolf.

Beems, the source of much of the sweat smell, thought: It's at least another hour before my wife gets home. Good.

Forrest drove him so hard Beems' forehead slammed into the wall, rocking the head of the wild boar that was mounted above it; it looked as if it had turned its head in response to a distant sound, a peculiar sight.

"It's not because I'm one of them kind I do this," Beems said. "It's just, oh yeah, honey...The wife, you know, she don't do nothing for me. I mean, you got to get a little pleasure where you can. A man's got to get his pleasure, don't you think...Oh, yes. That's it...A man, he's got to get his pleasure, right? Even if there's nothing funny about him?"

Forrest rested his hands on Beems' naked shoulders, pushing him down until his head rested on top of the couch cushion. Forrest cocked his hips, drove forward with teeth clenched, penetrating deep into Beems's ass. He said, "Yeah. Sure."

"You mean that? This don't make me queer?"

"Nah," Forrest panted. "Never has. Never will. Don't mean nothin'. Not a damn thing. It's all right. You're a man's man. Let me concentrate."

Forrest had to concentrate. He hated this shit, but it was part of the job and part of his punishment. It was an odd punishment, in that it was Beems who was taking it up the ass, but then again, Beems saw it as punishment for Forrest to have to do this, and, Forrest thought, he's right. First the snide remarks, then the manhood slurs, then eventually this. Him poling Beems in the ass. Beems liked it. It humiliated Forrest. Mission accomplished.

But, unbeknown to Beems, Forrest was putting the meat to Beems' wife. So, if he wanted the money Beems had to offer, and that little side benefit, he had to keep doing this, he had to stay in with the boss.

Mrs. Beems, of course, had no idea he was reaming her husband's dirty ditch, or that her husband had about as much interest in women as a pig does fresh socks.

Hell, Forrest thought, I'm revising my opinion on all this. This ain't punishment. This is damn silly, is what it is.

What a joke. I'm fucking Beems's old lady, doing the dog work for Beems, for a good price, reaming Beems's asshole and assuring Beems he isn't what he is, a fairy.

And as an added, and very happy benefit, he didn't have to fight the nigger tomorrow night. That was a big plus. That sonofabitch hit like a mule kicked and there just didn't seem anyway to hit the nigger good. He slipped and moved and grinned. And hit.

He hoped this McBride would tap the nigger good. The nigger died, he'd make a point of shitting on his grave. Right at the head of it.

Well, maybe, Forrest decided, as he drove his hips forward hard enough to make Beems scream a little, he not only thought this was silly, he had in just this moment come to realize he didn't hate this business after all. Not completely. He took so much crap from Beems, this was kinda nice, having the bastard bent over a couch, dicking him so hard his head slammed the wall. Goddamn, nutless queer, insulting him in public, trying to act tough.

Forrest took the bottle of baby oil off the end-table and poured it onto Beems's ass. He really didn't like to use the oil, because then he wasn't hurting Beems enough, but if he didn't use it, he hurt himself.

He put the bottle back and realized he was going soft. He tried to imagine he was plunging into Mrs. Beems, who had the smoothest ass and the brightest blond pubic hair he had ever seen. "I'm almost there," Forrest said.

"Stroke, Forrest! Stroke, man. Stroke!"

In the moment of orgasm, Beems imagined that the dick plunging into his hairy ass belonged to the big nigger, 'Lil' Arthur. He thought about 'Lil' Arthur all the time. Ever since he had seen him fight naked in a Battle Royale wearing a Sambo mask for the enjoyment of the crowd.

And the way 'Lil' Arthur had whipped Forrest. Lord. So thoroughly. So expertly.

Forrest had been the man until then, and that made him want Forrest, but now, he wanted the nigger because the nigger was the main man.

And hung.

Oh God, Beems thought, to have him in me, wearing that mask, that would do it for all time. Just once. Or twice.

Jesus, I want it so bad I got to be sure the nigger gets killed. I got to be sure I don't try to pay the nigger money to do this, because if he lives after the fight with McBride, I know I'll break down and try. And I break down and he doesn't do it, and word gets around, or he does it, and word gets around, or I get caught...I couldn't bear that. This is bad enough. But a nigger.

Then there was McBride. He thought about him. He had touched McBride's balls and feigned disgust, but he hadn't washed that hand yet, just as McBride suggested.

In fact, after their encounter, he had rushed home and found a place alone, and sniffed his hand, smelling McBride.

The sweaty sex smell was gone now. The faint but intoxicating aroma had retreated from his flesh within a short time. But he still knew, as McBride had said, that he had held the balls of John McBride, the heavyweight contender to the crown.

McBride won the fight with the nigger, better yet, killed him, maybe McBride would do it with him. McBride was a gent that liked money, and he liked to hurt whoever he was fucking. He could tell that from the way the redhead was battered. That would be good. That would be all right. McBride was the type who'd fuck anyone or anything, Beems could tell.

Yeah, Beems knew one thing about himself. At the bottom of it all he was one hell of a good judge of character. He knew what McBride was like, and he knew what McBride wanted. Money.

McBride wanted money and Beems wanted McBride.

It would work out.

He imagined it was McBride at work instead of Forrest. McBride, naked, except for the bowler and his socks.

Yeah, he thought. McBride, sweat dripping from his nose onto my ass.

⬳⬳

Forrest, as he ejaculated, grunted, said, "Oh shit," and almost called Mrs. Beems's name. He lifted his head as he finished, saw the hard glass eyes of the stuffed wild boar. The eyes were full of sunlight.

Then the curtains fluttered, twisted and snapped, and the eyes of the boar were full of darkness.

## 4:45 p.m.

The steamship Pensacola, outbound from Galveston, reached the Gulf, and a wind reached the Pensacola. Captain Simmons felt his heart clinch.

The sea came high and savage from the east, and the ship rose up and dove back down, and the waves, dark green and shadowed by the thick clouds overhead, reared up on either side of the steamship, hissed, plunged back down and the Pensacola rode up.

Jake Bernard, the pilot commissioner, came onto the bridge looking green as the waves. He was Simmons's guest on this voyage, and now he wished he were back home. He couldn't believe how ill he felt. Never, in all his years had he encountered seas like this, and he had thought himself immune to sea sickness.

"I don't know about you, Simmons," Bernard said, "but I ain't had this much fun since a bulldog gutted my daddy."

Simmons tried to smile, but couldn't make it. He saw that Bernard, in spite of his joshing, didn't look particularly jovial. Simmons said, "Look at the glass."

Bernard checked the barometer. It was falling very fast.

"Never seen it that low," Bernard said.

"Me either," Simmons said. He ordered his crew then. Told them to take in the awning, to batten the hatches, and to prepare for water.

Bernard, who had not left the barometer, said, "God. Look at this, man!"

Simmons looked. The barometer read 28.55.

Bernard said, "Way I heard it, ever gets that low, you're supposed to bend forward, kiss your dick, and tell it goodbye."

"I think it's your ass you kiss."

"Me, I'm gonna kiss one, I want to kiss the better friend."

## 6:30 p.m.

The Coopers, Bill and Angelique and their eighteen month old baby, Teddy, were on their way to dinner at a restaurant by buggy, when their horse, Bess, a beautiful chocolate-colored mare, made a run at the crashing sea.

It was the sea that frightened the horse, but in its moment of fear, it had tried to plunge head-long toward the source of its fright, assuring Bill that horses were, in fact, the most stupid animals in God's creation.

Bill jerked the reins and cussed the horse. Bess wheeled, lurched the buggy so hard Bill thought they might tip, but the buggy bounced on line, and he maneuvered Bess on track.

Angelique, dark-haired and beautiful, said, "I think I messed my bloomers...I smell it...No, that's Teddy. Thank goodness."

They stopped the buggy outside the restaurant, which was situated on high posts near the beach, and Angelique changed the baby's diaper, put the soiled cloth in the back of the buggy.

When she was finished, they tied up the reins and went in for a steak dinner. They sat by a window where they could see the buggy. The horse bucked and reared and tugged so much, Bill feared she might break the reins and bolt.

Above them, they could hear the rocks that covered the flat roof rolling and tumbling about like mice battling over morsels. Teddy sat in a high chair provided by the restaurant, whammed a spoon in a plate of applesauce.

"Had I known the weather was this bad," Angelique said, "we'd have stayed home. I'm sorry Bill."

"We stay home too much," Bill said, realizing the crash of the surf was causing him to raise his voice. "Building that upper deck on the house isn't doing much for my nerves either. I'm beginning to realize I'm not much of a carpenter."

Angelique widened her dark brown eyes. "No? You, not a carpenter?"

Bill smiled at her.

"I could have told you that, just by listening to all the cursing you were doing. How many times did you hit your thumb, dear?"

"Too many to count."

Angelique grew serious. "Bill. Look."

Many of the restaurant's patrons had abandoned their meals and were standing at the large windows, watching the sea. The tide was high and it was washing up to the restaurant's pilings, splashing against them, hard, throwing spray against the glass.

"Goodness," Bill said. "It wasn't this bad just minutes ago."

"Hurricane?" Angelique asked.

"Yeah. The flags are up. I saw them. But we've had hurricanes before...But...I don't know. This feels different. Makes me nervous."

"You're nervous, I'm nervous," she said.

They ate quickly, and drove the buggy home, Bess pulling briskly all the way. The sea crashed behind them with a sound like hammers beating tin and the clouds raced above them as if they were apparitions.

∽·∾

Back at home, while Angelique fed and prepared Teddy for bed, Bill put Bess away and went inside to join his family. When he arrived, all was dark. Electricity was turned off. He started to turn on a light, then saw there was a candle lit at the top of the first bend of the stairs; it was stuck in the top of a small bottle.

He smiled, went up and put the candle out, set the bottle aside.

At the very top of the stairs he saw yet another candle in a bottle. He blew it out and followed the light of yet another candle, positioned on the floor in front of their open bedroom.

Bill wet his finger, bent, and touched it to the candle flame. When he looked up and to his left, toward their bed, where he knew she would be, Angelique, her beautiful hair carefully spread and arranged on a snow white pillow, a sheet pulled up to her chin, smiled at him in the glow of a kerosine lamp on the nightstand.

The lamp was turned low and the light from it adored the color of her hair and showed it at its best, and it lay soft on her smooth pale skin and her eyes seemed dark instead of green in that light, deep and dark, as if he could fall into them.

"Mr. Cooper," she said, "might you enjoy par-taking of my wifely duties."

Slowly she removed the sheet, first revealing her breasts, small but well shaped, tipped by nip-ples the color of cherries.

Then she pulled the sheet down lower, expos-ing her white slightly mounded belly, and then she rolled the sheet again, and showed him what there was left to show.

The sight of her at any time was intoxicating to him, but in this moment he was overcome not only with passion, but with love for her.

He undressed and climbed in bed beside her. They kissed and embraced, became so involved they were not aware of the wind as it increased and carried with it great plops of rain. The wind and the rain struck the house in warning, but the warning was ignored.

Teddy, in his crib, in his room, slept like a baby.


## 7:58 p.m.

Jane climbed down from her window and walked toward the beach. Or tried to. She actual-ly leaned toward the beach. The wind was strong and almost knocked her off her feet. It whipped her long white nightgown like a sheet on a clothesline. Her bare feet were warm. She felt as if she were in a trance.

Jared had deserted her. He had talked her into what he had wanted, and now that he had tasted it, he was gone, and she was a ruined woman.

As she struggled to reach the beach, she saw a huge tree limb slide down the street, and other unnameable fragments of debris went with it.

She heard a whistling over her head, and looked up to see a strange thing. A collection of newspapers, men's hats, and a beach umbrella were spinning just above her. It was the umbrella she assumed that was making the whistling sound.

The mess seemed to collect there above her head in a wind swirl for some time, then it blew away.

She looked back to see the debris hit the street, but the umbrella was caught again by the wind and thrown over a fence and into a yard where it gathered up between a fork in a tree and lodged.

Jane thought: It's going to be a good one, this storm. Then: Good. It is only fitting that I do this at the time of a storm. It will serve him right. When the note is found by my mother, when he hears of it, he will be devastated.

Of course, before I drown myself, I have to make it to the beach.

And that was difficult. It was as if the wind was trying to hold her back.

Push all you want, she thought. Push hard, but I will make it because I am determined.

It took time, but finally she arrived near the beach and saw to her amazement that the waves were huge. She had never seen them like that before. They were crashing and blasting up a whiteness the color of milk.

When she came to the trough where she and Jared had lain so many times, it was full of water and the water had a horrible ripe smell to it. The wind was snapping at her gown, pushing it out behind her so that she looked like a wraith.

Jane grabbed at the gown and tore it from herself, stood nude on the edge of the trough. Waves were rising higher as she stood there, coming down on the trough so hard the water that splashed up from it washed over her and almost knocked her down.

Unconsciously, she backed up.

She thought again: It will serve him right.

They will find me nude, drowned, a gorgeous vision wasted by his act. He will carry that guilt with him to the grave.

She took one step forward, into the trough, and down she went, and at that moment, a great wave washed over her and threw her out of the trough and onto land.

Amazed, she looked up. Already the waves had returned and were about to come down over her, and in those great waves she thought she could see the shape of a face in the water. The face of a great and angry god, and then she was covered and pulled back into the sea.

Beneath the water she fought to breathe, and thought, all I have to do is open my mouth and it will be over. That will be the quickest way to get it done.

She tried to do that. The smallest bit of sea water slipped through her lips and it tasted horrible, foul.

Open wider, gulp, she told herself.

But she couldn't.

She thought. I am an idiot.

I'm only eighteen.

I don't want to die.

Who's to know I've given of myself?

Perhaps I'm pregnant, and perhaps not. He did withdraw.

If I'm pregnant I will kill myself. But not like this. Not because of him.

Jared will forget me. He may never even know I've died. What a fool I am.

Even if I am pregnant, I don't want to die.

In the books, they never died like this. It was so beautiful. It didn't hurt. The water didn't taste foul.

She fought harder, and up she came, riding on the wave, being pushed forward by it. It carried her before it like a standard bearer, then dropped her on the hard wet sand and lowered itself on top of her, scraping flesh off her face, breasts, and legs.

Then it carried her back with it and pulled her under the darkness of the waves and kept her there.

## 8:00 p.m.

Captain Simmons figured the wind was easily seventy-five miles an hour. A hurricane.

The Pensacola was jumping like a frog. Crockery was crashing below. A medicine chest so heavy two men couldn't move it leaped up and struck the window of the bridge, went through, out onto the deck, slid across it, hit the railing, bounced high, and dropped into the boiling sea.

Simmons and Bernard bumped heads so hard they nearly knocked each other out. When Simmons got off the floor, he got a thick rope out from under a shelf and tossed it around a support post, made a couple of wraps, then used the loose ends to tie bowlines around his and Bernard's waists. This way, he and Bernard could move about the bridge if they had to, but they wouldn't end up following the path of the chest.

Captain Simmons tried to think of something to do, but all he knew to do he had done. He'd had the crew drop anchor in the open Gulf, down to 100 fathoms, and he'd instructed them to find the best shelter possible close to their posts, and to pray.

The Pensacola swung to the anchor, struggled like a bull on a leash. Simmons could hear the bolts and plates that held the ship together screaming in agony. Those bolts broke, the plates cracked, he didn't need Captain Ahab to tell him they'd go down to Davy Jones's Locker so fast they wouldn't have time to take in a lungful of air.

Using the wall for support, Simmons edged along to where the bridge glass had been broken by the flying chest. Sea spray slammed against him like needles shot from a cannon.

He was concentrating on the foredeck, watching it dip, when he heard Bernard make a noise that was not quite a word, yet more expressive than a grunt.

Simmons turned, saw Bernard clutching the latch on one of the bridge windows so tightly he thought he would surely twist it off. Then he saw what Bernard saw.

The sea had turned black as a dutch oven, the sky the color of gangrene, and between sea and sky there appeared to be something rising out of the water, something huge and oddly shaped, like a horrible sea god, and then Simmons realized what it was.

It was a great wall of water, many times taller than the ship, and it was moving directly toward and over them.

# SATURDAY, SEPTEMBER 8, 1900
## 3:30 a.m.

**B**ill Cooper, sweaty and warm, opened his eyes.

He had been overwhelmed by a feeling of dread. It wasn't something he could put a name to, just a kind of niggling in the back of his mind, as if someone were whispering to him something of importance that he could not quite ascertain.

He rose carefully, so as not to wake Angelique, went into the bedroom across the hall and checked on Teddy. The boy slept soundly, his thumb in his mouth.

Bill smiled at the child, reached down and gently touched him. The boy was sweaty, and Bill noted that the air in the room smelled foul. He opened a window, stuck his head out and looked up.

The sky had cleared and the moon was bright. Perhaps this storm business, the deck he was building on the upper floor of the house, had made him restless and worried for no reason in particular. Certainly, it looked as if the storm had passed them by.

Then his feeling of satisfaction passed. For when he examined the yard, he saw it had turned to molten silver. At first, he thought it was the moonlight on the ground, but no, he realized the ground was moving, and then he realized it was not the ground at all.

It was moonlight on water. The Gulf had crept all the way up to the house.

A small rowboat, loose from its moorings, floated by.

## 8:06 a.m.

Isaac Cline had driven his buggy down the beach, warning residents near the water to evacuate. Some had. Some had not. Most had weathered many storms and felt they could weather another.

"This isn't like any other storm," he had tried to explain, but the longtime residents felt the thing to do was batten down the hatches, light some candles, and make the best of it. Maybe even have a party.

Still, many nervous residents and tourists made for the long wooden trestle bridge to mainland Texas. Already, Cline had noted, the water was leaping to the bottom of the bridge, slapping at it, testing its strength.

Wagons, buggies, horses, pedestrians, were as thick on the bridge as ants on celery. The sky, which had been oddly clear and bright and full of moon early morning, had now grown gray and it was raining. Of the three railway bridges that led to the mainland, one was already under water.

As Cline road his buggy along the beach, in search of houses to warn, he saw a coffin wash up on the shore, as if given to him by the sea. Cline realized it had been dislodged from one of the cemeteries in The Flats, carried out to sea, and now, back.

The lid of the coffin was broken open, slightly caved in at the bottom.

As Cline rode by it, from the height of his buggy he could see partially inside. Visible was a pants leg with a bony foot, no shoe, sticking out below the cuff.

Seawater was already rising around the coffin, washing toward his buggy wheels.

## 3:45 p.m.

Henry Johnson, aided by 'Lil' Arthur, climbed up on the wagon beside his wife. Tina held an umbrella over their heads. In the back of the wagon was the rest of the family, protected by upright posts planted in the corners, covered with the disintegrating tarp that had formerly been on the roof of the house. Tina had made some quick stitches in the rips with a knitting needle and small rope, but it still leaked water and it was still coming apart.

All day Henry had debated if he should leave. But by 2:00, he realized this wasn't going to be just another storm. This was going to be a god-damn, wet-assed, humdinger. He organized his family, and now, hook or crook, he was leaving.

He glanced at his shack, the water pouring through the roof like the falls of Niagara. It wasn't much, but it was all he had. He doubted it could stand much of this storm, but he tried not to think about that. He had greater concerns. He said to 'Lil' Arthur, "You come on with us."

"I got to fight," 'Lil' Arthur said.

"You got to do nothin'. This storm'll wash your ass to sea."

"I do got to, Papa."

Tina said, "Maybe your papa's right, baby. You ought to come."

"You know I can't. Soon as the fight's over, I'll head on out. I promise."

"There won't be no fight," Henry said.

"It ain't so bad on the other side of the island," 'Lil' Arthur said. "Look here, he don't show up, I'm gone. And if he do show up, just so you won't worry, I'll knock this McBride out early. Get it over with and I'll come on over to the other side."

"You do that," Tina said.

'Lil' Arthur climbed on the wagon and hugged his mama and shook his father's hand. Henry spoke quickly without looking at 'Lil' Arthur, said, "Good luck, son. Knock him out."

'Lil' Arthur nodded. "Thanks, Papa." He climbed down and went around to the back of the wagon and threw up the tarp and hugged his sisters one at a time and shook hands with his brother-in-law, Clement. He pulled Clement close to him, said, "You stay out of my sister, hear?"

"Yeah, Arthur. Sure. But I think maybe we done got a problem. She's already swole up."

"Ah, shit," 'Lil' Arthur said.

## 4:30 p.m.

As Henry Johnson pulled onto the wooden bridge, he felt ill. The water was sloshing over the sides, against the wagon wheels. The horses were nervous, and the line of would-be escapees on the bridge was tremendous. It would take them a long time to cross, maybe hours, and from the looks of things, the way the ocean was rising, it wouldn't be long before the bridge was underwater.

He said a private prayer: "Lord, take care of my family. And especially that fool son of mine, 'Lil' Arthur."

It didn't occur to him to include himself in the prayer.

## 4:37 p.m.

Bill and Angelique moved everything of value they could carry to the second floor of the house. Already the water was sloshing in the doorway. Rain splattered against the windows violently enough to shake them, and shingles flapped boisterously on the roof.

Bill paused in his work and sloshed through ankle deep water to a window and looked out. He said, "Angelique, I think we can stop carrying."

"But I haven't carried up the—"

"We're leaving."

"Leaving? It's that bad?"

"Not yet."

⸙

Bess was difficult to hook to the buggy. She was wild-eyed and skittish. The barn was leaking badly. Angelique held an umbrella over her head, waiting for the buggy to be fastened.

She could feel water rising above her ankles.

Bill paused for a moment to calm the horse, glanced at Angelique, thought she looked oddly beautiful, the water running off the umbrella in streams. He remembered the first time he had seen her at the yachting club. He had been on the wharf, visiting with a friend who worked at the club, and she prepared to step off of her uncle's sailing yacht. She wore a wide hat with a scarf around it, and her head was down, and when she lifted it, beneath the wide brimmed hat was what could only be described as the face of a celestial vision.

As she attempted to step onto the wharf, the boat heaved, and she fell forward. Bill caught her, helped her onto the wharf. She looked at him and smiled. And from that moment on, he belonged to her.

The fleeting memory passed. But even now, he could not help but think of how much he loved and adored her.

Angelique held Teddy close to her. Teddy was asleep, totally unaware of what was going on around him. Any other time, the baby would be squalling, annoyed. The rain and the wind were actually helping him to sleep. At least, thought Bill, I am grateful for that.

By the time the buggy was hooked, they were standing in calf-deep water. Bill opened the barn door with great difficulty, saw that the yard was gone, and so was the street. He would have to guess at directions. Worse yet, it wasn't rain water running through the street. It was definitely sea water.

Bill helped Angelique and Teddy into the buggy, took hold of the reins, clucked to Bess. Bess jerked and reared, and finally, by reins and voice, Bill calmed her. She began to plod forward through the dark, powerful water.

# 5:00 p.m.

McBride awoke. The wind was howling. The window glass was rattling violently, even though the windows were raised. The air was cool for a change, but damp. It was dark in the room.

The madam, wrapped in a blanket, sat in a chair pulled up against the far wall. She turned and looked at McBride. She said, "All hell's broken lose."

"Say it has?" McBride got up, walked naked to the windows. The wind was so furious it pushed him. "Damn," he said. "It's dark as midnight. This looks bad."

"Bad?" The madam laughed. "Worst hurricane I've ever seen, and I don't even think it's cranked up good yet."

"You don't think they'll call off the fight do you?"

"Can you fight in a boat?"

"Hell, honey, I can fight and fuck at the same time in a boat."

"Well, I don't know what they pay for fighting, but I know what they pay for fucking, and trust me, honey, it ain't worth it in a boat. Not in this weather."

"Come to think of it, I can fight and fuck on a rolling log, I have to. I used to be a lumberjack up north."

"I was you, I'd find a log, and get to crackin'."

A bolt of lightning, white as eternity, split the sky, and when it did, the darkness outside

subsided; and in that instant, McBride saw the
street was covered in waist-deep water.

"Reckon I better start on over there," he said.
"It may take me a while."

The madam thought: Well, honey, I hope
you drown.

## 5:20 p.m.

'Lil' Arthur was standing on the porch, trying
to decide if he should brave the water which was
now up to the lip of the porch, when he saw a
loose rowboat sail by.

Suddenly, he was in the water, swimming. The
force of the water carried him after the boat, and he
swam harder, and soon he had hold of it. When
he climbed inside, he found a paddle and a pail
half filled with dirt. The dirt had turned to mud
and was beginning to flow over the top of the
bucket. A few dead worms swirled in the mess.
The boat was a third filled with water. The world
was a'tumble with wind and water and darkness.

'Lil' Arthur took the bucket and poured out
the dirt and the worms and used the bucket to
bail. Now and then he put the bucket aside and
used the boat paddle. Not that he needed it much.
The water was carrying him where he wanted to
go. Uptown.

## 5:56 p.m.

Uptown the water was not so deep, but it took McBride almost an hour to get there. He waded through waist-deep water for a block, then knee-deep, and finally ankle-deep. His bowler hat had lost all its shape when he arrived, and his clothes were ruined. The water hadn't done his revolver or his razor any good either.

When he arrived at the building, he was surprised to find a crowd of men had gathered on the steps. Most stood under umbrellas, but many were bare headed. There were a few women amongst them. Whores mostly. Decent women didn't go to fights.

McBride went up the steps and the crowd blocked him. He said, "Look here. I'm McBride. I'm to fight the nigger."

The crowd parted, and McBride, with words of encouragement and pats on the back, was allowed indoors. Inside, the wind could still be heard, but it sounded distant. The rain was just a hum. Beems, Forrest, and the two oldsters were standing in the foyer, looking tense as fat hens at noontime. As soon as they saw McBride, their faces relaxed, and the elderly gentlemen went away. Beems said, "We were afraid you wouldn't make it."

"Worried about your investment?"

"I suppose."

"I'd have come if I had to swim."

"The nigger doesn't show, the title and the money's yours."

"I don't want it like that," McBride said. "I want to hit him. Course, he don't show, I'll take the money. You seen it this bad before?"

"No," Beems said.

"I didn't expect nobody to be here."

"Gamblers always show," Forrest said. "They gamble their money, they gamble their lives."

"Go find something to do, Forrest," Beems said. "I'll show McBride the dressing room."

Forrest looked at Beems, grinned a little, showed Beems he knew what he had in mind. Beems fumed. Forrest went away. Beems took hold of McBride's elbow, and began to guide him.

"I ain't no dog got to be led," McBride said.

"Very well," Beems said, and McBride followed him through a side door and down into a locker room. The room had two inches of water in it.

"My God," Beems said. "We've sprung a leak somewhere."

"Water like this," McBride said. "The force...It's washing out the mortar in the bricks, seeping through the chinks in the wall...Hell, it's all right for what I got to do."

"There's boxing shorts and boots in the locker there," Beems said. "You could go ahead and change."

McBride sloshed water, sat on a bench and pulled off his shoes and socks with his feet resting on the bench. Beems stood where he was, watching as the water rose over his ankles.

McBride took the razor out of the side of one of the shoes, held it up for Beems to see, said, "Mexican boxing glove."

Beems grinned. He watched as McBride removed his bowler, coat and shirt. He watched carefully as he removed his pants and shorts. McBride reached into the locker Beems had recommended, paused, turned, stared at Beems.

"You're liking what you're seein', ain't you buddy?"

Beems didn't say anything. His heart was in his throat.

McBride grinned at him. "I knew first time I seen you, you was an Alice."

"No," Beems said. "Nothing like that. It's not like that at all."

McBride smiled. He looked very gentle in that moment. He said, "It's all right. Come here. I don't mind that."

"Well..."

"Naw. Really. It's just, you know, you got to be careful. Not let everyone know. Not everyone understands, see."

Beems, almost licking his lips, went over to McBride. When he was close, McBride's smile widened and he unloaded a right uppercut into Beems's stomach. He hit him so hard Beems dropped to his knees in the water, nodded forward, and banged his head on the bench. His top hat came off, hit the water, sailed along the row of lockers, made a right turn near the wall, flowed out of sight behind a bench.

McBride picked Beems up by the hair and pulled his head close to his dick, said, "Look at it a minute, cause that's all you're gonna do."

Then McBride pulled him to his feet by his pretty hair and went to work on Beems. Lefts and rights. Nothing too hard. But more than Beems had ever gotten. When he finished, he left Beems lying in the water next to the bench, coughing.

McBride said, "Next time you piss, you'll piss blood, Alice." McBride got a towel out of the locker and dried his feet, put on the boxing shoes and the shorts. There was a mirror on the inside of the locker, and McBride was upset to see his hair. It was a mess. He spent several minutes putting it in place. When he finished, he glanced down at Beems, who was pretending to be dead.

McBride said, "Get up fairy-ass. Show me where I'm gonna fight."

"Don't tell anybody," Beems said. "I got a wife. A reputation. Don't tell anybody."

"I'll make you a promise," McBride said closing the locker door. "That goddamn nigger beats me, I'll fuck you. Shit, I'll let you fuck me. But don't get your butt-hole all a'pucker. I ain't losin' nothin'. Tonight, way I feel, I could knock John L. Sullivan on his ass, then fuck him."

McBride started out of the locker room. Beems lay in the water, giving him plenty of head start.

## 6:00 p.m.

Henry couldn't believe how slow the line was moving. It had been crawling for hours. When the Johnsons were near the end of the bridge, almost to the mainland, the water rushed in a dark brown wave and washed the buggy in front of them off the bridge. The heavy wagon of the Johnsons felt the wave too, but only slid to the railing. The buggy hit the railing, bounced, went over, pulling the horse into the railing after it. For a moment the horse hung there, its back legs slipping through, pulling with its front legs, then the railing cracked and the whole kit and kaboodle went over.

"Oh Jesus," Tina said.

"Hang on," Henry said. He knew he had to hurry, before another wave washed in, because if it was bigger, or caught them near the gap the buggy had made, they too were gone.

Behind them the Johnsons could hear screams of people fleeing the storm. The water was rising rapidly over the bridge, and those to the middle and the rear realized they didn't get across quick, they weren't going to make it. As they fought to move forward, the bridge cracked and moaned as if with a human voice.

The wind ripped at the tarp over the wagon and tore it away. "Shit," said Clement. "Ain't that something?"

A horse bearing a man and a woman, the woman wearing a great straw hat that drooped down on either side of her head, raced by the Johnsons. The bridge was too slick and the horse was moving too fast. Its legs splayed and it went down and started sliding. Slid right through the opening the buggy had made. Disappeared immediately beneath the water. When Henry ventured a look in that direction, he saw the woman's straw hat come up once, then blend with the water.

When Henry's wagon was even with the gap, a fresh, brown wave came over the bridge, higher and harder this time. It hit his horses and the wagon broadside.

The sound of it, the impact of it, reminded Henry of when he was in the Civil War and a wagon he was riding in was hit by Yankee cannon fire.

The impact had knocked him spinning, and when he tried to get up, his leg had been ruined. He had thought never to be that frightened again. But now, he was even more afraid.

The wagon drifted sideways, as if on a sled, hit the gap, but was too wide for it. It hung on the ragged railing, the sideboards cracking with the impact. Henry's family screamed and lay down flat in the wagon as the water came down on them like a heavy hand. The pressure of the water snapped the wagon's wheels off the axle, slammed the bottom of the wagon against the bridge, but the sideboards held together.

"Everybody out!" Henry said.

Henry, his weak leg failing to respond, tumbled out of the wagon onto the bridge, which was now under a foot of water. He got hold of a sideboard and pulled himself up, helped Tina down, reached up and snatched his cane off the seat.

Clement and the others jumped down, started hustling toward the end of the bridge on foot. As they came even with Henry, he said, "Go on, hurry. Don't worry none about me."

Tina clutched his arm. "Go on, woman," he said. "You got young'ns to care about. I got to free these horses." He patted her hand. She moved on with the others.

Henry pulled out his pocket knife and set to cutting the horses free of the harness. As soon as they were lose, both fool animals bolted directly into the railing. One of them bounced off of it, pivoted, made for the end of the bridge at a splashing gallop, but the other horse hit with such impact it flipped over, turning its feet to the sky. It pierced the water and was gone.

Henry turned to look for his family. They were no longer visible. Surely, they had made the mainland by now.

Others had come along to fill their place; people in wagons, and buggies, on horseback and on foot; people who seemed to be scrambling on top of water since the bridge was now completely below sea level.

Then Henry heard a roar. He turned to the east side of the bridge. There was a heavy sheet of water cocked high above him, and it was coming down, like a monstrous wet fly swatter.

And when it struck Henry and the bridge, and all those on it, it smashed them flat and drove them into the churning belly of the sea.

## 6:14 p.m.

Bill and Angelique, their buggy half-submerged in water, saw the bridge through the driving rain, then suddenly they saw it no more. The bridge and the people were wadded together and washed down.

The bridge came up on the waves a moment later, like a writhing spinal column. People clung to it. It leaped forward into the water, the end of it lashing the air like a dragon's tail, then it was gone and the people with it.

"God have mercy on their souls," Angelique said.

Bill said, "That's it then."

He turned the buggy around in the water with difficulty, headed home. All around him, shingles and rocks from the roofs of structures flew like shrapnel.

## 7:30 p.m.

'Lil' Arthur, as he floated toward town, realized it was less deep here. It was just as well, the rain was pounding his boat and filling it with water. He couldn't bail and paddle as fast as it went in. He climbed over the side and let the current carry the boat away.

The water surprised him with its force. He was almost swept away, but it was shallow enough he was able to get a foothold and push against the water. He waded to The Sporting Club, went around back to the colored entrance. When he got there, an elderly black man known as Uncle Cooter let him in, said, "Man, I'd been you, I'd stayed home."

"What," 'Lil' Arthur said. "And missed that boat ride?"

"A boat ride?"

'Lil' Arthur told him how he had gotten this far.

"Shit," Uncle Cooter said. "You outta your mind, 'Lil' Arthur. You should'a gone on acrost that bridge."

"So should you."

"You right about that. God gonna put this island under water cause it's so evil. Like that Sodom and Gomorrah place."

"What have you and me done to God?"

Uncle Cooter smiled. "Why, we is the only good children God's got. He gonna watch after us. Well, me anyway. You done gonna get in with this McBride, and he's some bad stuff, 'Lil' Arthur. God ain't gonna help you there. And this McBride, he ain't got no sense neither. He done beat up Mr. Beems, and Beems's the one settin' this up, gonna pay him money."

"Why'd he beat him up?"

"Hell, you can't figure white people. They all messed up. But Beems damn sure look like a raccoon now. Both his eyes all black, his lip pouched out. Me, I think I like the way that peckerwood looks."

"Where do I change?"

"Janitor's closet. They done put your shorts and shoes in there. And there's some gauze for your hands."

'Lil' Arthur found the shorts. They were old and faded. The boxing shoes weren't too good either. He found some soiled rags and used those to dry himself. He used the gauze to wrap his hands, then his dick. He decided to make it extra thick tonight, and from now on. He figured, once you start a custom, you ought to stick with it.

## 8:08 p.m.

When Bill and Angelique and Teddy arrived at their house, they saw that the water had pushed against the front door so violently, it had come open. Water was flowing into the hall and onto the bottom step of the stairs. Bill looked up and saw a lamp burning upstairs. They had left so quickly, they had forgotten to extinguish it.

With a snort, Bess bolted. The buggy jerked forward, hit a curb, and the harness snapped so abruptly Bill and his family were not thrown from their seat, but merely whipped forward and back against the seat. The reins popped through Bill's hands so swiftly the leather cut his palms.

Bess rushed across the yard and through the open doorway of the house, and slowly and carefully, began to climb the stairs.

Angelique said, "My lands."

Bill, a little stunned, climbed down, went around and helped Angelique and the baby out of the buggy. The baby was wet and crying and Angelique tried to cover it with the umbrella, but now the wind and rain seemed to come from all directions. The umbrella was little more than a wad of cloth.

They waded inside the house, tried to close the door, but the water was too much for them. They gave it up.

Bess had reached the top landing and disappeared. They followed her up. The bedroom door was open and the horse had gone in there. She stood near the table bearing the kerosine lamp. Shaking.

"Poor thing," Angelique said, gathering some towels from a chifforobe. "She's more terrified than we are."

Bill removed the harness that remained on Bess, stroked her, tried to soothe her. When he went to the window and looked out, the horse went with him. The world had not miraculously dried up. The water was obviously rising.

Worse yet, he saw bodies in the water now, floating by along with the debris.

"Maybe we'll be all right here," Angelique said. She was drying Teddy, who was crying violently because he was cold and wet. "Water can't get this high, can it?"

Bill moved away from the window, lest Angelique come over to stand by him, see the bodies in the water.

"It can't, can it?"

"What's that?" he asked.

"The water, dear. It can't get this high can it?"

Bill idly stroked Bess's mane, thought of the bridge. The way it had snapped like a wooden toy. He said, "Of course not."

## 8:15 p.m.

The fight had started late, right after two blind colored boys had gone a couple of rounds, staggering about, trying to club each other senseless with oversized boxing gloves.

The crowd was sparse but vocal. Loud enough 'Lil' Arthur forgot the raging storm outside. The crowd kept yelling, "Kill the nigger," and had struck up a chorus of "All coons look alike to me," a catchy little number that 'Lil' Arthur liked in spite of himself.

The yelling, the song, was meant to drop his spirits, but he found it fired him up. He liked being the underdog. He liked to make assholes eat their words. Besides, he was the Galveston champion, not McBride, no matter what the crowd wanted. He was the one that would step through the ropes tonight the victor. And he had made a change. He no longer allowed himself to be introduced as 'Lil' Arthur. When his name was called, the announcer had done as he had asked. He had called him by the name he preferred from here on out. Not 'Lil' Arthur Johnson. Not Arthur John Johnson, but Jack Johnson.

So far, however, the fight wasn't going either way, and he had to hand it to McBride, he could hit. He had a way of throwing short, sharp punches to the ribs; punches that felt like knife stabs.

Before the fight, Jack, as McBride had surely done, had used his thumbs to rearrange as much of the cotton in his gloves as possible. Arrange it so that his knuckles would be against the leather and would make good contact with McBride's flesh. But so far McBride had avoided most of his blows. The man was a master of slipping and sliding the punches. Jack had never seen anything like that before. McBride could also pick off shots with a flick of his forearms. It was very professional and enlightening.

Even so, Jack found he was managing to take the punches pretty well, and he'd discovered something astonishing. The few times he'd hit McBride was when he got excited, leaned forward, went flat-footed, and threw the uppercut. This was not a thing he had trained for much, and when he had, he usually threw the uppercut by coming up on his toes, twisting his body, the prescribed way to throw it. But he found, against all logic, he could throw it flat-footed and leaning forward, and he could throw it hard.

He thought he had seen a bit of surprise on McBride's face when he'd hit him with it. He knew that he'd certainly surprised himself.

It went like that until the fourth round, then when he came out, McBride said, "I've carried you enough, nigger. Now you got to fight."

Then Jack saw stuff he'd never seen before. Way this guy moved, it was something. Bounced around like a cat, like the way he'd heard Gentleman Jim fought, and the guy was fast with those hands. Tossed bullets, and the bullets stunned a whole lot worse than before. Jack realized McBride had been holding back, trying to make the fight interesting. And he realized something else. Something important about himself. He didn't know as much about boxing as he thought.

He tried hooking McBride, but McBride turned the hooks away with his arms, and Jack tried his surprise weapon, the uppercut, and he found he could catch McBride a little with that, in the stomach, but not enough he was going to send McBride to the canvas. In fact, time the fifth round came up, Jack was scared. And hurt.

He was thinking maybe of taking a dive. Just going down and laying there, getting himself out of this misery next time McBride threw one of those short ones that connected solid, but then the bell rang and he sat on his bench, and Uncle Cooter, who was the only man in his corner, sprayed water in his mouth and let him spit blood in a bucket.

Uncle Cooter said. "I was you, son, I'd play possum. Just hit that goddamn floor and lay there like you axed. You don't, this shithead, he gonna cut you to pieces. This way, you get a little payday and you don't die. Paydays is all right. Dyin' ain't nothin' to rush."

"Jesus, he's good. How can I beat him?"

Uncle Cooter rubbed Jack's shoulders. "I been thinking on that. You can't beat him. Play dead."

"There's got to be a way."

"Yeah," Uncle Cooter said. "There might be one. He might die on you. That's the only way you gonna beat him. He got to just die."

"Thanks, Cooter. You're a lot of help."

"You welcome."

Jack feared the sound of the bell. He looked in McBride's corner, and McBride was sitting on his stool as if he were lounging, drinking from a bottle of beer, chatting with a man in the audience. He was asking the man to go get him a sandwich.

Forrest Thomas was in McBride's corner, holding a folded towel over his arm, in case McBride might need it, which, considering he needed to sweat good first, wasn't likely.

Forrest looked at Jack, pointed a finger and lowered his thumb like it was the hammer of a revolver. Jack could see a word on Forrest's lips. The word was: POW!

The bell rang. McBride gave the bottle of beer to Forrest and came out. Jack rose, saw Beems, eyes blacked, looking rough, sitting in the front row. Rough or not, Beems seemed happy. He looked at Jack and smiled like a grave digger.

This time out, Jack took a severe pounding. He just couldn't stop those short little hooks of McBride's, and he couldn't seem to hit McBride any kind of blow but the uppercut, and that not hard enough.

McBride was getting better as he went along, getting warmed up. If he had another beer and a sandwich, hell, he might go ahead and knock him out so he could have coffee and pie. Jack thought the whole matter had turned pretty discouraging. And besides, smelling that beer on McBride's breath was driving him crazy. He could use a beer himself.

Finally, Jack decided to quit trying to hit the head and the ribs, where he was having no luck, and just go in and pound McBride on the arms. That way, he could at least hit something. And he did, and he was amazed at the end of the round to find McBride was starting to lower his guard, look a little injured.

Jack went back to his corner and Uncle Cooter said, "Keep hittin' him on the arms. That's gettin' to him. You wreckin' his tools."

"I figured that much. Thanks a lot."

"You welcome."

Jack examined the crowd in the Sporting Club bleachers. They were not watching the ring. They had turned their heads toward the east wall, and for good reason. It was vibrating. Water was seeping in somewhere, and it had filled the floor beneath the ring six inches deep. The people occupying the bottom row of bleachers, all around the ring, had been forced to lift their feet. Above him, Jack heard a noise that sounded like something big and mean peeling skin off an elephant's head with a pair of pliers.

By the time the bell rang, and Jack shuffled out, he noticed the water had gone up another two inches.

## 8:46 p.m.

Bill held the lantern in front of him at arm's length as he crouched at the top of the stairs. The water was halfway up the steps. The house was shaking like a fat man's ass on a bucking horse. He could hear shingles ripping loose, blowing away. The storm itself was screaming and howling like someone happily insane.

He went back to the bedroom. The windows were vibrating; panes had blown out of a couple of them, wallpaper was actually peeling off the wall, as if by an invisible hand.

The baby was crying. Angelique sat in the middle of the bed, trying to nurse the child, but Teddy wouldn't have any of that. He jerked his head away from her breasts as if they were scalding to the touch.

The horse lashed its tail back and forth nervously, made nickering noises.

Bill went around and opened all the windows to help take away some of the force of the wind. Something he knew he should have done long ago, but he was trying to spare the baby the howl of the wind, the dampness.

The wind charged through the open windows and the rain charged with it. Bill could hardly stand before them, they were so powerful.

Fifteen minutes later, he heard the furniture below thumping on the ceiling, floating against the floor on which he stood.

## 9:00 p.m.

My God, thought Jack, how many goddamn rounds this thing gonna go? His head ached and his ribs ached worse and his insides felt as if he had swallowed hot tacks and was trying to regurgitate them. His legs, though strong, were beginning to feel the wear. He had thought this was a fifteen round affair, but realized now it was twenty, and if he wasn't losing by then, he might get word it would go twenty-five.

Jack slammed a glove against McBride's left elbow, saw McBride grimace, drop the arm. Jack followed with the uppercut, and this time he not only hit McBride, he hit him solid. McBride took the shot so hard he farted. The sandwich he'd eaten between rounds probably didn't seem like such a good idea now.

Next time Jack threw the combination, he connected with the uppercut again. McBride moved back, and Jack followed, hitting him on the arms, slipping in the uppercut now and then, even starting to make contact with hooks and straight rights.

Then every light in the building went out as the walls came apart and the bleachers soared up on a great surge of water and dumped the boxing patrons into the wet darkness. The ring itself began to move, to rise to the ceiling, but before it tilted out from under Jack, McBride hit him a blow so hard Jack thought he felt past lives cease to exist; ancestors fresh from the slime rocked from that blow and the reverberations of it rippled back to the present and into the future, and back again. The ceiling went away on a torrent of wind, and Jack reached out and got hold of something and clung for dear life.

"You stupid sonofabitch," Uncle Cooter said, "you got me by the goddamn head."

## 9:05 p.m.

Captain Simmons thought they would be at the bottom of the sea by now, and was greatly surprised they were not.

A great wave of water had hit them so hard it had snapped the anchor chain. The ship was driven down by the incredible wave, way down, and then all the water in the world washed over them and there was total darkness and horror, and then, what seemed like hours later but could only have been seconds, the water broke and the Pensacola flew high up as if shot from a cannon, came down again, washed with the waves, leaned starboard so far it took in water, then, miraculously, righted itself.

Captain Simmons shook shit and sea water out of his pants legs and followed the rope around his waist to the support post. He got hold of the post, felt for the rest of the rope. In the darkness, he cried out, "Bernard. You there?"

"I think so," came Bernard's voice from the darkness. And then they heard a couple of bolts pop free, fire off like rifle blasts.

"Oh, Jesus," Bernard said. "Feel that swell? Here it comes again."

Captain Simmons turned his head and looked out. There was nothing to see. Just blackness. Then he realized what the blackness was.

It was an immense wall of water flowing toward them. It made the first wall seem like a mere rise; this was bigger than the Great Wall of China.

## 10:00 p.m.

Bill and Angelique lay on the bed with Teddy. The water was washing over the edges of the feather mattress, blowing wet cold wind over them. They had started the Edison and a gospel record had been playing, but the wind and rain had finally gotten into the mechanism and killed it.

As it went dead, the far wall cracked and leaned in and the ripple of cracking lumber went across the floor and the ceiling sagged and so did the bed. Bess suddenly disappeared through a hole in the floor. One moment she was there, the next she was gone, beneath the water.

Bill grabbed Angelique by the arm, pulled her to her feet in the knee deep water. She held Teddy close to her. He pulled them across the room as the floor shifted, pulled them through the door that led onto the unfinished deck, stumbled over a hammer that lay beneath the water, but managed to keep his feet.

Bill couldn't help but think of all the work he had put in on this deck. Now it would never be finished. He hated to leave anything unfinished. He hated worse that it was starting to lean.

There was one central post that seemed to stand well enough, and they took position behind that. The post was one of several that the house had been built around; a support post to lift the house above the normal rise of water. It connected bedroom to deck.

Bill tried to look through the driving rain. All he could see was water. Galveston was covered by the sea. It had risen up and swallowed their city.

The house began to shake violently. They heard lumber cracking, felt it shimmying. The deck swayed more dynamically.

"We're not going to make it, are we Bill?" Angelique said.

"No, darling. We aren't."

"I love you."

"I love you."

He held her and kissed her. She said, "It doesn't matter, you and I. But Teddy. He doesn't know.

He doesn't understand. God, why Teddy? He's only a baby...How do I drown, darling?"

"One deep breath and it's over. Just one deep pull of the water, and don't fight it."

Angelique started to cry. Bill squatted, ran his hand under the water and over the deck. He found the hammer. It was lodged in its spot because it was caught in a gap in the unfinished deck. Bill brought the hammer out. There was a big nail sticking out of the main support post. He had driven it there the day before, to find it easy enough. It was his last big nail and it was his intent to save it. He used the claw of the hammer to pull it out. He looked at Angelique. "We can give Teddy a chance."

Angelique couldn't see Bill well in the darkness, but she somehow felt what his face was saying. "Oh, Bill."

"It's a chance."

"But..."

"We can't stand against this, but the support post—"

"Oh Lord, Bill," and Angelique sagged, holding Teddy close to her chest. Bill grabbed her shoulders, said, "Give me my son."

Angelique sobbed, then the house slouched far to the right—except for the support post. All the other support posts were washing loose, but so far, this one hadn't budged.

Angelique gave Teddy to Bill. Bill kissed the child, lifted him as high on the post as he could, pushed the child's back against the wood and lifted its arm. Angelique was suddenly there, supporting the baby. Bill kissed her. He took the hammer and the nail, and placing it squarely against Teddy's little wrist, drove it through the child's flesh with one furious blow.

And then the storm blew more furious and the deck turned to gelatin, and Bill clutched at Angelique and Angelique almost managed to say, "Teddy," then all the powers of nature took them and the flimsy house away.

High above it all, water lapping around the post, Teddy, wet and cold, squalled with pain.

Bess surfaced amongst lumber and junk. She began to paddle her legs furiously, snorting water. A nail on a board cut across her muzzle, opening a deep gash.

The horse nickered, thrashed its legs violently, lifted its head, trying to stay afloat.

# SUNDAY, SEPTEMBER 9, 1900
## 4:00 a.m.

The mechanism that revolved the Bolivar lighthouse beam had stopped working. The stairs that led up to the lighthouse had gradually filled with people fleeing the storm, and as the water rose, so did the people. One man with a young boy had come in last, and therefore was on the constantly rising bottom rung. He kept saying. "Move up. Move up, lessen' you want to see a man and his boy drown." And everyone would move up. And then the man would soon repeat his refrain as the water rose.

The lighthouse was becoming congested. The lighthouse tower had begun to sway. The lighthouse operator, Jim Marlin, and his wife Elizabeth, lit the kerosine lamp and placed it in the center of the circular magnifying lens, and tried to turn the beam by hand. They wanted someone to know there was shelter here, even though it was overcrowded, and might soon cease to exist. The best thing to do was to douse the light and hope they could save those who were here, and save themselves. But Jim and Elizabeth couldn't do that. Elizabeth said, "Way I see it, Jim, it's all or nothing, and the good Lord would want it that way. I want it that way."

All night long they had heard screams and cries of help, and once, when the lighthouse beam was operating, they had seen it swing past a young man clinging to a timber. When the light swung back to where the young man had been, he was no longer in sight.

Now, as they tried to turn the light by hand, they found it was too much of a chore. Finally, they let it shine in one direction, and there in the light they saw a couple of bodies being dragged by a large patch of canvas from which dangled ropes, like jellyfish tentacles. The ropes had grouped and twisted around the pair, and the canvas seemed to operate with design, folded and opened like a pair of great water wings; it was as if it were an exotic sea creature bearing them off to a secret lair where they could be eaten in privacy.

Neither Jim nor Elizabeth Marlin knew the bloated men tangled in the ropes together; had no idea they were named Beems and Forrest.

## 5:00 a.m.

A crack of light. Dawn. Jim and Elizabeth had fallen asleep leaning against the base of the great light, and at the first ray of sunlight, they awoke, saw a ship's bow at the window, and standing at the bow, looking in at them, was a bedraggled man, and he was crying savagely.

Jim stood up and went to the window. The ship had been lifted up on great piles of sand and lumber. Across the bow he could see the letters Pensacola. The man was leaning against the glass. He wore a captain's hat. He held out his hand, palm first. Jim put his hand to the glass, trying to match the span of the crying captain's hand.

Behind the captain a number of wet men appeared. When they saw the lighthouse they fell to their knees and lifted their heads to the heavens in prayer, having forgotten that it was in fact the heavens that had devastated them.

## 6:00 a.m.

The light broke above the shining water, and the water began to go down, rapidly, and McBride sat comfortably on the great hour hand of what was left of the City Hall clock. He sat there with his arms wrapped around debris that dangled from the clock. In the night, a huge spring mechanism had jumped from the face of the clock and hit him a glancing blow in the head, and for a moment, McBride had thought he was still battling the nigger. He wasn't sure which was worse to fight. The hurricane or the nigger. But through the night, he had become grateful for the spring to hold onto.

Below him he saw much of what was left of the Sporting Club, including the lockers where he had put his belongings. The whole damn place had washed up beneath the clock tower.

He saw the nude body of a young redheaded woman float by, watched it carefully, noted: "Good ass."

McBride used his teeth to work off the binds of his boxing gloves, and slip his hands free of them. All through the night the gloves had been a burden. He feared his lack of grip would cause him to fall. It felt good to have his hands free of the tight, wet leather.

McBride ventured to take hold of the second hand, swing on it a little, and cause it to lower him onto a pile of rubble.

He climbed over lumber and junk and found a mass of bloated bodies, men, women, and children, most of them sporting shingles that had cut into their heads and bodies. He searched their pockets for money and found none, but one of the women—he could tell it was a woman by her hair and dress only, as the features were lost in the fleshy swelling of her face—had a ring. He tried to pull it off her finger, but it wouldn't come off. The water had swollen her flesh all around it.

He sloshed his way to the pile of lockers. He searched through them until he found the one where he had put his clothes. They were so full of mud he left them. But he got the razor and the revolver. The revolver was full of grit. He took out the shells and shook them and put them back. He stuck the gun in his soaked boxing trunks. He opened the razor and shook out the silt and went over to the woman and used the razor to cut off her finger. The blade cut easily through the flesh, and he whacked through the bone. He slipped the ring on his little finger, closed the razor and slipped it into the waistband of his trunks, next to his revolver.

This was a hell of a thing to happen. He had hid his money back at the whorehouse, and he figured it and the plump madam who had been a hell of a lot better fuck than the redhead were probably far at sea, the madam possibly full of harpoon wounds. And the shitasses that were to pay him were now all choked, including the main one, the queer Beems. And if they weren't, they were certainly no longer men of means.

This had been one shitty trip. No clothes. No revolver. No money. No whipped nigger. And no more pussy. He'd came with more than he was leaving with.

What the hell else could go wrong?

He decided to wade toward the whorehouse, see if it were possibly standing, maybe find some bodies along the way to loot; something to make up for his losses.

As he started in that direction, he saw somewhat in the distance, a dog on top of a dog house float by. The dog was chained to the house and the chain had gotten tangled around some floating rubble and it had pulled the dog flat against the roof. It lifted its eyes and saw McBride, barked wearily for help. McBride determined it was well within pistol shot.

McBride lifted the revolver and pulled the trigger. It clicked, but nothing happened. He tried again, hoping against hope. It fired this time and the dog took a blast in the skull and rolled off the house, and hung by the chain on the nail, then sailed out of sight.

McBride said, "Poor thing."

## 7:03 a.m.

The water was falling away rapidly, returning to the sea, leaving in its wake thousands of bodies and debris. The stench was awful. Jack and Cooter, who had spent the night in a child's tree-house, awoke, amazed they were alive.

The huge oak tree they were in was stripped of leaves and limbs, but the tree house was unharmed. It was amazing. They had washed right up to it, just climbed off the lumber to which they had been clinging, and went inside. It was dry in there, and they found three hard biscuits in a tin and three hot bottles of that good, ole Waco, Texas drink, Dr Pepper. There was a phone on the wall, but it was a fake, made of lumber and tin cans. Jack had the urge to try it, as if it might be a line to God, for surely, it was God who had brought them here.

Cooter had helped Jack remove his gloves, then they ate the biscuits, drank a bottle of Dr Pepper a piece, then split the last bottle, and slept.

When it was good and light, they decided to climb down. The ladder, a series of boards nailed to the tree, had washed away, but they made it to the ground by going limb to limb, like squirrels.

When they reached the earth they started walking, sloshing through water that had rolled back to ankle deep. The world they had known was gone. Galveston was a wet mulch of bloated bodies—humans, dogs, mules and horses—and mashed lumber.

In the distance they saw a bedraggled family walking along like ducks in a row. Jack recognized them. He had seen them around town. They were Isaac Cline, his brother Joseph, Isaac's wife and children. He wondered if they knew where they were going, or were they like him and Cooter, just out there? He decided on the latter.

They passed a number of looters, looking through the remains of stores and scouring through the pockets of the dead. When the looters saw Jack, half naked, muscles glistening like obsidian in the sun, they kept their distance. The looters were buzzards, not birds of prey.

Jack and Cooter decided to head for higher ground, back uptown whence they'd come. Soon they could see the tower of City Hall, in sad shape but still standing, the clock having sprung a great spring. It poked from the face of the mechanism like a twisted, metal tongue.

They hadn't gone too far toward it, when they encountered McBride coming toward them. He was riding a chocolate brown mare that looked ready to drop. McBride had looped a piece of frayed rope around the mare's nose and was using it as a primitive bridal, jerking at it savagely any time the mare tried to move to the left or right, which was about every other moment.

"Shit," Cooter said. "Ain't this somethin'? Well, Jack, you take care, I gonna be seein' you."

"Asshole," Jack said.

Cooter put his hands in his pockets and turned right, headed over piles of debris and bodies on his way to who knew where.

McBride spotted Jack, yelled, "You somethin', nigger. A hurricane can't even drown you."

"You neither," Jack said. They were within twenty feet of one another now. Jack could see the revolver and the razor in McBride's waistband. The horse, a beautiful animal with a deep cut on its muzzle, suddenly buckled and lay down, rolling McBride off of it.

McBride got up, said. "Can you believe that. Goddamn horse survived all this and it can't carry me no ways at all."

McBride pulled his pistol and shot the horse through the head. It rolled over gently, lay on its side without so much as one last heave of its belly. McBride turned back to Jack. The revolver lay loose in his hand. He said, "Had it misfired, I'd have had to beat it to death with a board. I don't believe in animals suffering. Can you believe that? Sonofabitch gun's been under water, and it's worked two out of three."

"That horse would have been all right," Jack said.

"Naw, it wouldn't," McBride said. "Why don't you shake it, see if it'll come around? How's about you and me? Want to finish where we left off?"

"You got to be jokin'?" Jack said.

"You hear me laughin'?"

"I don't know about you, peckerwood, but I feel like I been in a hurricane, then swam a few miles in boxing gloves, then slept all night in a tree house and had biscuits and Dr Pepper for breakfast."

"I ain't even had no breakfast, nigger. Listen here. I can't go home not knowing I can whip you or not. Hell, I might never get home. I want to know I can take you. You want to know."

"Yeah. I do. But I don't want to fight no pistol and razor."

Jack removed the pistol and razor, found a pile of debris and put them there. He said. "Come on."

"Where?"

"Here's all we got."

Jack turned and looked. He could see a slight rise of dirt beyond the piles of debris. A house had stood there. One of its great support poles was still visible.

"Over there," Jack said.

They went over there and found a spot about the size of a boxing ring. Down below them, on either side were heaps of bodies and heaps of gulls on the bodies, scrambling for soft flesh and eyeballs. McBride studied the bodies, the debris, what was left of Galveston, turned to Jack, said, "Fuck the rules."

They waded into each other, bare knuckle. It was obvious after only moments that they were exhausted. They were throwing hammers, not punches, and the sounds of their strikes mixed with the caws and cries of the gulls. Then the sounds of their blows and the shrieks of the gulls were split by a piercing cry so unique and savage, they ceased punching.

"Time," Jack said.

"What in hell is that?" McBride said.

They walked toward the sound of the cry, leaned on the great support post of the house. Once a fine house had stood here, and now, there was only this. McBride said, "I don't know about you, Jack, but I'm one tired sonofabitch."

Jack listened and the cry came again. Above him. He looked up. A baby was nailed near the top of the support. Its upraised, nailed arm was covered in caked blood. Gulls were flapping around its head, making a kind of halo.

"I'll be goddamned," Jack said. "Boost me, McBride."

McBride made a chair with his cupped hands and Jack stood in them and got hold of the post and worked his way painfully up. At the bottom, McBride picked up debris and hurled it at the gulls and cursed them.

"You gonna hit the baby, you jackass," Jack said.

When he got up there, Jack found the nail was sticking out of the baby's wrist by an inch or so, and he took hold of it with his fingers, but couldn't budge it.

"Can't get it loose," Jack yelled down. He was about to drop; his legs and arms had turned to butter.

"Hang on," McBride said, and he went away.

It seemed like forever before he came back. He had the revolver with him. He looked up at Jack and the baby. He looked at them for a long moment. Jack watched him, didn't move. McBride said, "Listen up, nigger. You gonna have to hang with legs and arm, and catch this, use it to work out the nail."

McBride emptied the remaining cartridges from the revolver and tossed it up. Jack caught it on the third try. He used the trigger guard to snag the nail, but mostly mashed the baby's wrist. The baby had stopped crying. It was making a kind of mewing sound, like a dying goat.

The nail came loose, and Jack nearly didn't grab the baby in time, and when he did, he got hold of its nailed arm and he felt and heard its shoulder snap out of place. He was weakening, and he knew he was about to fall.

"McBride," he said, "catch."

The baby dropped and so did the revolver. McBride reached out and grabbed the child. It screamed when he caught it and McBride raised it over his head and laughed. He laid the baby on top of a pile of wide lumber and looked at it.

Jack was about halfway down when he fell, landing on his back, knocking the wind out of him. By the time he got it together enough to get up and find the revolver and wobble over to McBride, McBride had worked the child's shoulder back into place and was cooing to it.

Jack said, "He ain't gonna make it. He's lost lots of blood."

McBride stood up with the baby on his shoulder. He said, "Naw. He's tough as a wart hog. Worse this little shit will have is a scar. Elastic as he is, there ain't no real damage. And he didn't bleed out bad neither. He gets some milk in him, fifteen, sixteen years from now, he'll be chasin' pussy."

McBride held the child out and away from him, looked him over. The baby's penis lifted and the child peed all over him. McBride laughed uproariously.

"Well, shit, nigger. I reckon today ain't my day and it ain't the day you and me gonna find out who's the best. Here. I don't know no one here. Take 'em."

Jack took the child, gave McBride his revolver, said, "I don't know there's anyone I know anymore."

"I tell you, you're one lucky nigger," McBride said. "I'm gonna forgo you a beatin, maybe a killin'."

"That right?"

"Uh huh. Someone's got to survive to get this kid to safety, and if'n I kept him, I might get tired of him in an hour. Put his little head under water."

"You would, wouldn't you?"

"I might. And you know, you're a fool to give me back my gun."

"Naw. I broke it gettin' that nail loose."

McBride grinned, tossed the gun in the mud, put a hand over his eyes, and looked at the sky. "Can you beat that? Looks like it's gonna be a nice day."

Jack nodded. The baby sucked on his shoulder. He decided McBride was right. This was one tough kid. It was snuggled against him as if nothing had happened, trying to get milk. Jack wondered about the child's family. Wondered about his own. Where were they? Were they alive?

McBride grinned, said, "Nigger. You got a hell of an uppercut."

Jack patted the baby's back, watched McBride find his razor, then walk on. Jack watched until he disappeared behind a swell of lumber and bodies, and he never saw him again.